Bruxelles GRAND-PLACE - Brussel GROTE MARKT - Brussels GRAND-PLACE

Brüssel GROSZER MARKT - Bruselas PLAZA MAYOR

F. VAN DEN BREMT

Bruxelles GRAND-PLACE
Brussel GROTE MARKT
Brussels GRAND-PLACE
Brüssel GROSZER MARKT
Bruselas PLAZA MAYOR

Préface — Woord vooraf

L. Cooremans

Textes — Teksten

A. Vander Linden

Andrée Brunard

Meddens

Dépôt légal n° 093 – 4e trimestre – D/1974/0062/45
ISBN 2-87013-024-4
Printed in Belgium

Préface

Il en est de l'histoire comme de la légende, l'une et l'autre dépassent parfois le croyable ou l'imaginable !

L'histoire de la Grand-Place, comme les légendes que l'on fait circuler à son propos, sont l'une et les autres pleines d'un charme léger qui enchante et qui rassure. Suffit-il cependant de se laisser aller à cette « griserie » des choses ! Notre grand poète Émile Verhaeren rappelait déjà que :

> L'âpre réalité formidable et suprême
> Distille une assez rouge et tonique liqueur
> Pour s'en griser la tête et s'en brûler le cœur.

Qu'est-elle donc cette histoire que nous cachent les pierres et le décor si justement célèbre de ce cadre doré dans lequel se cache tout un passé ?

Ce passé, c'est d'abord celui des familles lignagères qui ont fait dès le moyen âge la prospérité économique et financière de Bruxelles.

Ce passé, c'est aussi celui des corporations de métiers qui, à l'instar des lignages, ont fait de Bruxelles, depuis le 14e siècle, une grande ville où les arts ont fleuri parce que les artistes se sont surpassés dans l'excellence de leur métier pour répondre aux commandes des plus illustres princes ou bourgeois.

Ce passé, c'est enfin celui d'une ville ou d'un prince. Une ville, gouvernée par des bourgmestres et échevins sages et éclairés qui eurent à cœur une prospérité sujette à retenir un prince en ses murs, mais aussi à faire de cette ville un lieu d'habitat ouvert à tous. Le prince, parce qu'il se sentit chez lui au sein de cette population laborieuse, dynamique et accueillante.

C'est tout cela que la Grand-Place nous raconte... par ses maisons qui furent successivement celles des lignages et des corporations, par son Hôtel de Ville qui vit les princes y venir jurer d'observer les privilèges urbains, par sa Maison du Roi qui, face à l'édifice urbain, fut à la fois le signe de la présence et de la bienveillance impériale ou royale, par ses pavés enfin qui supportèrent aux différentes heures des commotions populaires les marques triomphantes ou pénibles de la vie de Bruxelles.

Woord vooraf

Het gaat met de geschiedenis als met de legende. Zowel de ene als de andere overtreffen wel eens het geloofwaardige of het voorstelbare.

Van de geschiedenis van de Grote Markt, evenals van de legenden die om haar werden geweven, gaat een lichte, verrukkelijke en geruststellende charme uit. Maar is het goed, zich in deze zachte roes te laten meeslepen ! Onze grote dichter Emile Verhaeren schrijft toch ergens dat :

> L'âpre réalité formidable et suprême
> Distille une assez rouge et tonique liqueur
> Pour s'en griser la tête et s'en brûler le cœur.

Welke is dan de geschiedenis die schuil gaat achter deze stenen en achter het terecht beroemde decor van vergulde gevels, die een heel verleden voor het oog verbergen ?

Dit verleden is in de eerste plaats dat van de familiegeneraties die, sedert de middeleeuwen, de economische en financiële voorspoed van Brussel hebben bewerkstelligd.

Dit verleden is ook dat van de gilden die, sedert de 14de eeuw, en naar het voorbeeld van de voornoemde geslachten, van Brussel een grote stad hebben gemaakt. Een stad waarin de kunsten bloeiden, omdat de ambachtslui zichzelf kwalitatief overtroffen bij het uitvoeren van de hun, door illustrere prinsen of burgers, toevertrouwde bestellingen.

Dit verleden is tenslotte dat van een stad of van een prins. Een stad beheerd door wijze en verlichte burgemeesters en schepenen, die een voorspoed beoogden die niet alleen een prins binnen haar muren zou weerhouden, maar die van deze stad ook een woonplaats maakte waarin het voor allen goed was te leven. De prins, omdat hij zich thuis voelde temidden van een werkzame, dynamische en gulle bevolking.

Dat alles vertelt ons de Grote-Markt... door haar huizen, die achtereenvolgens de woningen waren van geslachten en gilden; door haar Stadhuis, waarin prinsen zwoeren de stedelijke privilegies te zullen eerbiedigen; door haar Broodhuis dat, tegenover het Stadhuis gelegen, terzelfdertijd het teken was én van de aanwezigheid, én van de welwillendheid van keizers of koningen; door haar plaveien tenslotte die, op diverse momenten van hevige volkse beroering, de triomfantelijke of trieste merktekens ontvingen van het Brusselse leven.

Preface

Some features – both in history, and in legend – overstep the bounds of credibility and fictitiousness.

Both the history of the Grand-Place, and the tales spun around it, are full of re-assuring charm. One schould not, however, give rein this sort of exhilaration. To quote the great poet Emile Verhaeren :

> L'âpre réalité formidable et suprême
> Distille une assez rouge et tonique liqueur
> Pour s'en griser la tête et s'en brûler le cœur

What, then, are the history and the past hidden behind those stones, that justly famous architectural stage?

Its past consists, in the first place, of the records of lineages who have built up Brussels's economic and financial prosperity from the Middle Age onward.

It is also the story of the trade guilds which, together with the great families, have turned Brussels, from the 14th century onward, into a major city where the arts have flourished, as craftsmen, entrusted with commissions from illustrious princes or citizens, were excelling in the exercice of their skills.

It finally is the record of a city, or a prince. A city administered by wise, lucid burgomasters and aldermen whose endeavour it was to make it prosperous, in order not only to captivate a prince, but also to make it a dwelling place for all. A city where the prince would feel at home, amidst its hard-working, dynamic, and gracious population.

That is the story, as told by the Grand-Place... by its buildings that housed in succession the great families and the guilds; by its city hall where princes pledged themselves to respect city privileges; by its "Maison du Roi" facing the city hall, the sign of imperial or royal presence and goodwill; by its pavement that has witnessed the vicissitudes, the ups and downs of community life in the city of Brussels.

Vorwort

Mit der Geschichte geht es wie mit Legenden. Die eine wie die anderen lassen wohl Glaubhaftes durch Vorstellbares übertreffen.

Von der Geschichte des Grossen Marktes wie auch von den Legenden, die ihn umspinnen geht ein glanzvoller, bezaubernder und beschwichtigender Reiz aus. Aber sollte es nicht gut sein, sich diesem leichten Rausch mitreissen zu lassen! Unser grosser Dichter, Emile Verhaeren schreibt doch irgendwo :

> L'âpre réalité formidable et suprême
> Distille une assez rouge et tonique liqueur
> Pour s'en griser la tête et s'en brûler le cœur.

Welche geheimnisvolle Begebenheiten verbergen sich hinter diesem Mauern und dem, mit Recht so berühmten Dekorum der vergoldeten Fronten, die eine ganze Vergangenheit dem Auge verhüllen. Eine Vergangenheit, die sich an erster Stelle auf Generationen von Familien bezieht, welche im Mittelalter den Reichtum und Wohlstand von Brüssel aufgebaut haben.

Die Geschichte der Zünfte, die nach Vorbild der vorgenannten Generationen aus Brüssel eine bedeutende Stadt machten.

Eine Stadt, wo die Künste in voller Pracht sich auswirkten, wo Handwerksleute sich selbst in ihren Werken übertrafen, bei der Ausführung der ihnen, von erlauchten Fürsten und Bürgern, anvertrauten Aufträge.

Schliesslich, die Vergangenheit einer Stadt und seiner Fürsten. Eine Stadt, die von weisen und voraussehenden Bürgermeistern und Ratsleuten verwaltet wurde, die nach Fortschritt trachteten, nicht allein, um einen Fürsten in ihren Mauern festzuhalten, sondern auch, um diese Stadt so zu gestalten, dass es sich dort gut leben lasse. Der Fürst sollte sich dort zuhause fühlen, inmitten einer arbeitsamen, tatkräftigen und ihm zugetanen Bevölkerung.

Dies alles erweckt in uns der Grosse Markt... mit seinen Häusern, die Generationen von Familien und Zunftleuten beherbergten, mit seinem Rathaus, wo Fürsten den Eid ablegten alle städtischen Privilegien zu ehren, mit seinem Brothaus, das gegenüber dem Rathaus liegt und das zu jener Zeit dazu diente, die Anwesenheit oder das Einverständnis eines Kaisers oder eines Königs kundzugeben.

Mit seinen Pflastersteinen, die verschiedene Male Zeugen von Volksaufruhr, von Triumph oder Trauer des Brüsseler Lebens waren.

Préface

Il en est de l'histoire comme de la légende, l'une et l'autre dépassent parfois le croyable ou l'imaginable !

L'histoire de la Grand-Place, comme les légendes que l'on fait circuler à son propos, sont l'une et les autres pleines d'un charme léger qui enchante et qui rassure. Suffit-il cependant de se laisser aller à cette « griserie » des choses ! Notre grand poète Émile Verhaeren rappelait déjà que :

> L'âpre réalité formidable et suprême
> Distille une assez rouge et tonique liqueur
> Pour s'en griser la tête et s'en brûler le cœur.

Qu'est-elle donc cette histoire que nous cachent les pierres et le décor si justement célèbre de ce cadre doré dans lequel se cache tout un passé ?

Ce passé, c'est d'abord celui des familles lignagères qui ont fait dès le moyen âge la prospérité économique et financière de Bruxelles.

Ce passé, c'est aussi celui des corporations de métiers qui, à l'instar des lignages, ont fait de Bruxelles, depuis le 14e siècle, une grande ville où les arts ont fleuri parce que les artistes se sont surpassés dans l'excellence de leur métier pour répondre aux commandes des plus illustres princes ou bourgeois.

Ce passé, c'est enfin celui d'une ville ou d'un prince. Une ville, gouvernée par des bourgmestres et échevins sages et éclairés qui eurent à cœur une prospérité sujette à retenir un prince en ses murs, mais aussi à faire de cette ville un lieu d'habitat ouvert à tous. Le prince, parce qu'il se sentit chez lui au sein de cette population laborieuse, dynamique et accueillante.

C'est tout cela que la Grand-Place nous raconte... par ses maisons qui furent successivement celles des lignages et des corporations, par son Hôtel de Ville qui vit les princes y venir jurer d'observer les privilèges urbains, par sa Maison du Roi qui, face à l'édifice urbain, fut à la fois le signe de la présence et de la bienveillance impériale ou royale, par ses pavés enfin qui supportèrent aux différentes heures des commotions populaires les marques triomphantes ou pénibles de la vie de Bruxelles.

Woord vooraf

Het gaat met de geschiedenis als met de legende. Zowel de ene als de andere overtreffen wel eens het geloofwaardige of het voorstelbare.

Van de geschiedenis van de Grote Markt, evenals van de legenden die om haar werden geweven, gaat een lichte, verrukkelijke en geruststellende charme uit. Maar is het goed, zich in deze zachte roes te laten meeslepen ! Onze grote dichter Emile Verhaeren schrijft toch ergens dat :

> L'âpre réalité formidable et suprême
> Distille une assez rouge et tonique liqueur
> Pour s'en griser la tête et s'en brûler le cœur.

Welke is dan de geschiedenis die schuil gaat achter deze stenen en achter het terecht beroemde decor van vergulde gevels, die een heel verleden voor het oog verbergen ?

Dit verleden is in de eerste plaats dat van de familiegeneraties die, sedert de middeleeuwen, de economische en financiële voorspoed van Brussel hebben bewerkstelligd.

Dit verleden is ook dat van de gilden die, sedert de 14de eeuw, en naar het voorbeeld van de voornoemde geslachten, van Brussel een grote stad hebben gemaakt. Een stad waarin de kunsten bloeiden, omdat de ambachtslui zichzelf kwalitatief overtroffen bij het uitvoeren van de hun, door illustrere prinsen of burgers, toevertrouwde bestellingen.

Dit verleden is tenslotte dat van een stad of van een prins. Een stad beheerd door wijze en verlichte burgemeesters en schepenen, die een voorspoed beoogden die niet alleen een prins binnen haar muren zou weerhouden, maar die van deze stad ook een woonplaats maakte waarin het voor allen goed was te leven. De prins, omdat hij zich thuis voelde temidden van een werkzame, dynamische en gulle bevolking.

Dat alles vertelt ons de Grote-Markt... door haar huizen, die achtereenvolgens de woningen waren van geslachten en gilden; door haar Stadhuis, waarin prinsen zwoeren de stedelijke privilegies te zullen eerbiedigen; door haar Broodhuis dat, tegenover het Stadhuis gelegen, terzelfdertijd het teken was én van de aanwezigheid, én van de welwillendheid van keizers of koningen; door haar plaveien tenslotte die, op diverse momenten van hevige volkse beroering, de triomfantelijke of trieste merktekens ontvingen van het Brusselse leven.

Prefacio

Ocurre con la historia lo mismo que con la leyenda, ¡ una y otra superan a veces lo creíble o lo imaginable!

La historia de la Plaza Mayor, al igual que las leyendas que circulan acerca de ésta, son una y otras llenas de un encantamiento sutil que cautiva a la vez que tranquiliza. Sin embargo, ¡ no basta con dejarse llevar por este « embeleso» de las cosas! Nuestro gran poeta Émile Verhaeren observaba ya que :

> L'âpre réalité formidable et suprême
> Distille une assez rouge et tonique liqueur
> Pour s'en griser la tête et s'en brûler le cœur.

Ahora bien, ¿ cuál será esta historia que nos ocultan las piedras y el decorado tan justamente célebre de este marco dorado en el cual se esconde todo un pasado ?

Este pasado, es ante todo el de las familias de un mismo linaje que, desde la Edad Media, hicieron la prosperidad económica y financiera de Bruselas.

Este pasado, es también el de las corporaciones que, al igual que los linajes, han hecho de Bruselas, desde el siglo 14, una gran ciudad en que han florecido las artes porque los artesanos se han superado en la maestría de su oficio para atender los encargos de los más ilustres príncipes o burgueses.

Y por fin, este pasado es el de una ciudad o de un príncipe. Una ciudad, gobernada por burgomaestres y concejales sabios y preclaros que tomaron a pechos una prosperidad sujeta a retener a un príncipe dentro de su recinto, y también en hacer de esta ciudad un lugar de residencia abierto a todos. El príncipe, porque se sintió como en su casa en el seno de esta población laboriosa, dinámica y acogedora.

Es todo esto lo que nos cuenta la Plaza Mayor... a través de sus casas que fueron sucesivamente las de los linajes y de las corporaciones, a través de su Ayuntamiento que vio a los príncipes prestar el juramento de observar los privilegios urbanos, a través de su Casa del Rey que, frente al Ayuntamiento, fue a la vez señal de la presencia y benevolencia imperial o real, y por fin, a través de sus adoquines que soportaron en las horas de conmociones populares, las huellas triunfantes o penosas de la vida de Bruselas.

1. La Grand-Place et l'Hôtel de Ville (1402-1454). – De Grote Markt en het Stadhuis (1402-1454). – Grand-Place and City hall (1402-1454). – Grand-Place und Rathaus (1402-1454). – La Plaza Mayor y el Ayuntamiento (1402-1454).

2. Panorama nocturne du centre et Hôtel de Ville illuminé. – Nachtelijk gezicht op het centrum en feestelijk verlicht Stadhuis. – Town centre and City hall by night. – Die Stadtmitte und des Rathaus bei Nacht. – Panorama nocturno del centro de la ciudad y Ayuntamiento iluminado.

3. Les maisons le Cygne (1698) et l'Étoile (reconstr. 1897), l'Hôtel de Ville et la tour. – De huizen de Zwaan (1698) en de Ster (herb. 1897), het Stadhuis en de toren. – The houses the Swan (1698) and the Star (reconstr. 1897), the City hall and the tower. – Die Häuser der Schwan (1698) und der Stern (wiederaufgeb. 1897), das Rathaus und der Turm. – Las casas el Cisne (1698) y la Estrella (reconstruida en 1897), el Ayuntamiento y la torre.

AN NO
16 98

4. La tour illuminée de l'Hôtel de Ville (1449-1454). – De toren van het Stadhuis (1449-1454) bij nacht. – The Tower of the City hall (1449-1454) by night. – Der Turm des Rathauses (1449-1454) bei Nacht. – La torre iluminada del Ayuntamiento (1449-1454).

5. La Grand-Place et le Marché-aux-oiseaux. – De Grote Markt en de Vogelmarkt. – Grand-Place and bird market. – Grand-Place und Vogelmarkt. – La Plaza Mayor y el Mercado de los pájaros.

6. L'Hôtel de Ville. Détail de l'aile gauche (1402) et tour de l'Hôtel de Ville. – Detail van de linkervleugel (1402) en toren van het Stadhuis. – Detail of the left wing (1402) and tower of the City hall. – Linker Flügel (1402) und Turm des Rathauses (Teilansicht). – El Ayuntamiento. Detalle del ala izquierda (1402) y torre del Ayuntamiento.

7. L'Hôtel de Ville vu de la Maison du Roi. – Het Stadhuis gezien vanaf het Broodhuis. – The City hall seen from the « Maison du Roi » – Das Rathaus vom Brothaus gesehen. – El Ayuntamiento visto desde la Casa del Rey.

◀ **8.** Détail de l'aile droite (1444) et tour de l'Hôtel de Ville. – Detail van de rechtervleugel (1444) en toren van het Stadhuis. – Detail of the right wing (1444) and tower of the City hall. – Rechter Flügel (1444) und Turm des Rathauses (Teilansicht). – Detalle del ala derecha (1444) y torre del Ayuntamiento.

9. L'Étoile, l'Hôtel de Ville et la tour. – De Ster, het Stadhuis en de toren. – The Star, the City hall and the tower. – Der Stern, das Rathaus und der Turm. – Casa de la Estrella, Ayuntamiento y la torre.

10. Une scène de l'« Ommegang ». – Tafereel uit de « Ommegang ». – Scene from the « Ommegang ». – Szene aus dem « Ommegang ». – Paso del « Ommegang ».

11. Féerie de fleurs à la Grand-Place. – Bloemenweelde op de Grote Markt. – A wealth of flowers. – Eine Fülle von Blumen und Farben. – Diluvio de flores en la Plaza Mayor.

12. Maisons pavoisées près de l'Hôtel de Ville. – Feestelijk bevlagde huizen nabij het stadhuis. – Beflaged houses near the City hall. – Festlich geschmückte Häuser in der Nähe des Rathauses. – Casas empavesadas cerca del Ayuntamiento.

13. Façade latérale de l'aile gauche de l'Hôtel de Ville (1402). – Zijgevel van de linker vleugel van het Stadhuis (1402). – Side façade of the left wing of the City hall (1402). – Rathaus. Seitengiebel des linken Flügels (1402). – Fachada lateral del ala izquierda del Ayuntamiento (1402).

14. Façade latérale de l'aile droite de l'Hôtel de Ville (1444). – Zijgevel van de rechter vleugel van het Stadhuis (1444). – Side façade of the right wing of the City hall (1444). – Rathaus. Seitengiebel des rechten Flügels (1444). – Fachada lateral del ala derecha del Ayuntamiento (1444).

15. L'Hôtel de Ville. Le cabinet du bourgmestre. – Het Stadhuis. Het kabinet van de burgemeester. – The City hall. The office of the burgomaster. – Das Rathaus. Das Kabinett des Burgermeisters. – Ayuntamiento. Gabinete del burgomaestre.

16. L'Hôtel de Ville. L'Escalier des Lions. – Het Stadhuis. De Leeuwentrap. – The City hall. The lions' stairs. – Das Rathaus. Die Löwentreppe. – Ayuntamiento. Escalera de los Leones.

17. L'Hôtel de Ville. La salle du conseil. Tapisseries de Bruxelles du XVIIIe siècle d'après cartons de V. Janssens. – Het Stadhuis. De raadszaal. Brusselse wandtapijten uit de 18de eeuw naar kartons van V. Janssens. – The City hall. Tapestries from the 18th century after designs by V. Janssens. – Das Rathaus. Der Ratssaal. Wandteppiche aus dem 18. Jh. nach Entwürfen von V. Janssens. – Ayuntamiento. Sala del consejo. Tapicerías bruselenses del siglo XVIII segun cartones de V. Janssens.

DE FRANCE
ISABELLE

◀ **18.** L'Hôtel de Ville. Statues de la façade latérale de l'aile gauche. – Het Stadhuis. Beelden van de zijgevel van de linkervleugel. – The City hall. Sculptures of the side façade of the left wing. – Das Rathaus. Figuren am Seitengiebel des linken Flügels. – Ayuntamiento. Estatuas de la fachada lateral del ala izquierda.

19. L'Hôtel de Ville. La salle Maximilienne. Tapisseries de Bruxelles d'après cartons attribués à Ch. Lebrun. – Het Stadhuis. De Maximiliaanzaal. Brusselse wandtapijten naar kartons toegeschreven aan Ch. Lebrun. – The City hall. The Maximilian hall. Tapestries after designs attributed to Ch. Lebrun. – Das Rathaus. Der Maximiliansaal. Wandteppiche nach Entwürfen zugeschrieben an Ch. Lebrun. – Ayuntamiento. Sala Maximiliana. Tapicerías bruselenses segun cartones atribuidos a Ch. Lebrun.

◀ **20.** L'Hôtel de Ville. Cul-de-lampe historié: l'assassinat d'Evrard 't Serclaes. – Het Stadhuis. Sluitornament: de moord op Everard 't Serclaes. – The City hall. Ornamented cul-de-lampe: the murder of Everard 't Serclaes. – Das Rathaus. Ornamentierter Kragstein: die Ermordung des Everard 't Serclaes. – Ayuntamiento. Ménsula historiada: el asesinato de Everard 't Serclaes.

21. L'Hôtel de Ville. Salon situé sous la tour et décoré suivant l'esprit du XVIIIe siècle. – Het Stadhuis. Salon onder de toren gelegen en versierd in 18de-eeuwse stijl. – The City hall. Drawing-room under the tower, decorated in 18th century style. – Das Rathaus. Salon unterm Turm, Stil des 18. Jh. – Ayuntamiento. Salón situado bajo la torre y decorado segun el estilo del siglo XVIII.

22. L'Hôtel de Ville. St. Michel, statuette en bois, ornant la porte d'entrée. – Houten Sint-Michielsbeeldje aan de poort van het Stadhuis. – St Michael, wooden sculpture at the gate of the City hall. – St. Michael, Holzbild am Torflügel des Rathauses. – Ayuntamiento. San Miguel, estatuilla de madera que adorna la puerta de entrada.

▶

23. St. Michel. Détail de plafond sculpté d'un cabinet d'échevin de l'Hôtel de Ville. – St. Michiel. Detail van het gebeeldhouwd plafond van een schepenkabinet van het Stadhuis. – St. Michael. Detail of the sculptured ceiling in one of the rooms of the City hall. – St. Michael. Detail der geschnitzten Decke eines Zimmers vom Rathaus. – San Miguel. Detalle del cielo raso esculpido de un gabinete de Concejal en el Ayuntamiento.

◀ **24.** La paix. Sculpture ornant le côté gauche du porche d'entrée de l'Hôtel de Ville. – De vrede. Beeld aan de linkerkant van de poort van het Stadhuis. – Peace. Sculpture to the left of the entrance of the City hall. – Der Frieden. Figur links vom Eingang des Rathauses. – La Paz. Escultura del lado izquierdo del pórtico de entrada del Ayuntamiento.

25. L'Hôtel de Ville. Détail de la tapisserie « Bethsabée à la fontaine », XVIIe siècle. – Stadhuis. Detail van het wandtapijt « Bethsabee bij de fontein », 17de eeuw. – The City hall. Detail of the tapestry « Bathsheba at the fountain », 17th century. – Das Rathaus. Detail eines Wandteppichs « Bethsabee am Brunnen », 17. Jh. – Ayuntamiento. Detalle de la tapicería bruselense « Betsabé en la fuente », siglo XVII.

26. L'Hôtel de Ville. Cul-de-lampe historié: la légende d'Herkenbald, amman de Bruxelles. – Stadhuis. Sluitornament met de legende van Herkenbald, amman van Brussel. – City hall. Ornamented cul-de-lampe: the legend of Herkenbald, bailiff of Brussels. – Rathaus. Ornamentierter Kragstein mit Legende von Herkenbald, Drost von Brüssel. – Ayuntamiento. Ménsula historiada: la leyenda de Herkenbald, magistrado de Bruselas.

27. Profusion de fleurs et de belles façades baroques. – Overdaad aan bloemen en barokke gevels. – Profusion of flowers and baroque façades. – Eine Fülle von Blumen und Barokgiebeln. – Profusión de flores y hermosas fachadas barrocas.

28. Hôtel de Ville. Chapiteau ornementé, dit « de Scupstoel » (vers 1450). – Stadhuis. Gebeeldhouwd kapiteel, gen. « de Scupstoel » (ca. 1450). – City hall. Ornamented capital, called « the Scupstoel » (ca 1450). – Rathaus. Ornamentiertes Kapitell, gen. « der Scupstoel » (um 1450). – Ayuntamiento. Capitel, llamado « de Scupstoel » (hacia 1450).

29. Façades des maisons (de g. à dr.) : le Renard (1699), le Cornet (1696), la Louve (1696), le Sac (1644-1697), la Brouette (1644-1697), le Roi d'Espagne (1697). – Gevels van de huizen (v. l. n. r.) : de Vos (1699), de Hoorn (1696), de Wolvin (1696), de Zak (1644-1697), de Kruiwagen (1644-1697), de Koning van Spanje (1697). – Façades of the houses (from l. to r.) : the Fox (1699), the Horn (1696), the Wolf (1696), the Sack (1644-1697), the Wheel-barrow (1644-1697), the King of Spain (1697). – Giebel der Häuser (v. l. n. r.) : der Fuchs (1699), das Horn (1696), die Wölfin (1696), der Sack (1644-1697), der Schubkarren (1644-1697), der König von Spanien (1697). – Fachadas de casas (de izq. a der.) : el Zorro (1699), la Corneta (1696), la Loba (1696), el Saco (1544-1697), la Carretilla (1644-1697), el Rey de España (1697).

30. Hôtel de Ville. Chapiteau sculpté, détail (vers 1450). – Stadhuis. Gebeeldhouwd kapiteel, detail (ca 1450). – City hall. Detail of a sculptured capital (ca. 1450). – Rathaus. Kapitellplastik, Detail (um 1450). – Ayuntamiento. Capitel esculpido, detalle (hacia 1450).

31. Façades des maisons : le Cornet (1696), la Louve (1696), le Sac (1644-1697). – Gevels van de Hoorn (1696), de Wolvin (1696) en de Zak (1644-1697). – Façades of the Horn (1696), the Wolf (1696), the Sack (1644-1697). – Giebel der Häuser: das Horn (1696), die Wölfin (1696), der Sack (1644-1697). – Fachadas de casas: la Corneta (1696), la Loba (1696), el Saco (1644-1697).

INSIDIAE
IMPERII
STATVS
EVERSIO
REIPVBLICAE
PAX
SIT
1697
BANK

32. Hôtel de Ville. Chapiteau sculpté, détail (vers 1450). – Stadhuis. Gebeeldhouwd kapiteel, detail (ca. 1450). – City hall. Detail of a sculptured capital (ca. 1450). – Rathaus. Kapitellplastik, Detail (um 1450). – Ayuntamiento. Capitel esculpido, detalle (hacia 1450).

33. Detail de la façade de la maison le Cornet (1696). – Geveldetail van het huis de Hoorn (1696). – Façade of the house the Horn (1696). Detail. – Giebel des Hauses das Horn (1696). Detail. – Detalle de la fachada de la casa de la Corneta (1696).

34. Hôtel de Ville. Cul-de-lampe sculpté (vers 1450). – Stadhuis. Gebeeldhouwde kraagsteen (ca. 1450). – City hall. Sculptured cul-de-lampe (ca 1450). – Rathaus. Ornamentierter Kragstein (um 1450). – Ayuntamiento. Ménsula esculpida (hacia 1450).

35. Détail des façades des maisons le Cornet (1696) et la Louve (1696). – Detail van de huisgevels de Hoorn (1696) en de Wolvin (1696). – Detail of the façades of the houses the Horn (1696) and the Wolf (1696). – Giebeldetail der Häuser das Horn (1696) und die Wölfin (1696). – Detalle de las fachadas de las casas de la Corneta (1696) y la Loba (1696).

36. Hôtel de Ville. Une des gargouilles. – Stadhuis. Een der waterspuwers. – City hall. One of the gargoyles. – Rathaus. Wasserspeier. – Ayuntamiento. Una de las gárgolas

37. Les maisons le Sac et la Brouette (1644-1697). – De huizen de Zak en de Kruiwagen (1644-1697). – The houses the Sack and the Wheelbarrow (1644-1697). – Die Häuser der Sack und der Schubkarren (1644-1697). – Las casas el Saco y la Carretilla (1644-1697).

40. Détail de la maison le Renard (1699). – Detail van het huis de Vos (1699). – Detail of the house the Fox (1699). – Teilansicht des Hauses der Fuchs (1699). – Detalle de la casa el Zorro (1699).

41. Détail de la maison la Brouette (1644-1697). – Detail van het huis de Kruiwagen (1644-1697). – Detail of the House the Wheel-barrow (1644-1697). – Teilansicht des Hauses der Schubkarren (1644-1697). – Detalle de la casa la Carretilla (1644-1697).

42. Pignons des maisons le Sac et la Brouette (1644-1697). – Puntgevels van de huizen de Zak en de Kruiwagen (1644-1697). – Gables of the houses the Sack and the Wheel-barrow (1644-1697). – Giebel der Häuser der Sack und der Schubkarren (1644-1697). – Gabletes de las casas el Saco y la Carretilla (1644-1697).

43. Le Roi d'Espagne (1697). – De Koning van Spanje (1697). – The King of Spain (1697). – Der König von Spanien (1697). – El Rey de España (1697).

44. Le Roi d'Espagne (1697). Détail. – De Koning van Spanje (1697). Detail. – The King of Spain (1697). Detail. – Der König von Spanien (1697). Teilansicht. – El Rey de España. Detalle (1697).

45. Le Roi d'Espagne. Détail : trophée par J. Lagae avec buste de Charles II, roi d'Espagne (1901). – De Koning van Spanje. Detail : trofee door J. Lagae met borstbeeld van Karel II van Spanje (1901). – The King of Spain. Detail : trophy by L. Lagae with bust of Charles II, King of Spain (1901). – Der König von Spanien. Detail : Trophäe von J. Lagae mit Brustbild des Karl II., König von Spanien (1901). – El Rey de España. Detalle : trofeo por L. Lagae con busto de Carlos II, rey de España (1901).

46. Souvenirs pour touristes. – Soevenierwinkeltje voor toeristen. – Souvenir shop for tourists. – Souvenirladen für Touristen. – Recuerdos para turistas.

47. Le Cygne (1698), l'Étoile (reconstr. 1897) et l'Hôtel de Ville. – De Zwaan (1698), de Ster (herb. 1897) en het Stadhuis. – The Swan (1698), the Star (reb. 1897) and the City hall. – Der Schwan (1698), der Stern (wiederaufgeb. 1897) und das Rathaus. – El Cisne (1698), la Estrella (reconstruida en 1897) y Ayuntamiento.

6

48. Devanture de magasin. – Uitstalraam. – Show-window. – Schaufenster. – Escaparate de tienda.

49. La Maison des Brasseurs (ou l'Arbre d'or - 1698), le Cygne (1698) et l'Étoile (reconstr. 1897). – Het Brouwershuis (of de Gulden Boom - 1698), de Zwaan (1698) en de Ster (herb. 1897). – The House of the Brewers (or the Golden Tree - 1698), the Swan (1698) and the Star (reb. 1897). – Das Brauerhaus (oder der Goldene Baum - 1698), der Schwan (1698) und der Stern (wiederaufgeb. 1897). – La Casa de los Cerveceros (o del Arbol de Oro - 1698), el Cisne (1698) y la Estrella (reconstruida en 1897).

50. Détail du monument 't Serclaes par J. Dillen (1898). – Detail van het 't Serclaesmonument door J. Dillen (1898). – Detail of the 't Serclaes memorial by J. Dillen (1898). – Teilansicht des 't Serclaesdenkmals von J. Dillen (1898). – Detalle del monumento 't Serclaes por J. Dillen (1898).

51. Le Mont Thabor (ou les Trois Couleurs - 1702). Détail. – De Berg Thabor (of de Drie Kleuren - 1702). Detail. – The Mount Thabor (or the Three Colours - 1702). Detail. – Der Berg Thabor (oder die Drei Farben - 1702). Teilansicht. – La casa el Monte Thabor (o los Tres Colores - 1702). Detalle.

La Rose Blanche
à l'entrecôte Café de Paris
Taverne Restaurant
Tarif
Tarif
SERVICE et T.V.A.
INCLUS

◀ **52.** Entrée de la maison la Rose (1702). – Ingang van het huis de Roos (1702). – Entry of the house the Rose (1702). – Eingang des Hauses die Rose (1702). – Entrada de la casa la Rosa (1702).

53. Détail de la maison le Cygne (1698). – Detail van het huis de Zwaan (1698). – Detail of the house the Swan (1698) – Teilansicht des Hauses der Schwan (1698). – Detalle de la casa el Cisne (1698).

Cousins
LONDON
STEAK
HOUSE
LONDON
STEAK
HOUSE
LONDON
STEAK
HOUSE
IN DEN VOS
LE RENARD

54. Détail de la maison le Renard (1699). – Detail van het huis de Vos (1699). – Detail of the house the Fox (1699). – Teilansicht des Hauses der Fuchs (1699). – Detalle de la casa el Zorro (1699).

55. Musée de la Maison des Brasseurs. L'estaminet. – Museum van het Brouwershuis. De herberg. – Museum of the Brewershouse. The pub. – Brauerhausmuseum. Die Schenke. – Museo de la casa de los Cerveceros. El cafetín.

56. Il est beau de rêver sur la Grand-Place. – Het is mooi dromen op de Grote Markt. – Day-dreaming on the Grand-Place. – Träumerei auf dem Grand-Place. – Es lindo soñar en la Plaza Mayor.

57. Musée de la Maison des Brasseurs. Détail. – Museum van het Brouwershuis. Detail. – Museum of the House of the Brewers. Detail. – Brauerhausmuseum. Teilansicht. – Museo de la Casa de los Cerveceros. Detalle.

58. La Grand-Place au petit-matin. – Morgenstemming op de Grote Markt. – Early-morning on the Grand-Place. – Morgenstimmung auf der Grand-Place. – Muy de mañana en la Plaza Mayor.

59. La Maison des Ducs de Brabant (1698). – Het Huis der Hertogen van Brabant (1698). – The House of the Dukes of Brabant (1698). – Das Haus der Herzöge von Brabant (1698). – La Casa de los Duques de Brabante (1698).

60. Maison des Ducs de Brabant (1698). Détail de la façade. – Huis der Hertogen van Brabant (1698). Detail van de gevel. – House of the Dukes of Brabant (1698). Detail of the façade. – Haus der Herzöge von Brabant (1698). Teilansicht. – Casa de los Duques de Brabante (1698). Detalle de la fachada.

61. La Maison des Ducs de Brabant (1698). Détail de la façade. – Het Huis der Hertogen van Brabant (1698). Detail van de gevel. – The House of the Dukes of Brabant (1698). Detail of the façade. – Das Haus der Herzöge von Brabant (1698). Teilansicht. – Casa de los Duques de Brabante (1698). Detalle de la fachada.

62. La Maison des Ducs de Brabant (1698). Emblème de la maison « l'Hermitage ». – Het Huis der Hertogen van Brabant (1698). Embleem van het huis « de Kluis ». – The House of the Dukes of Brabant (1698). Emblem of the house « the Hermitage ». – Das Haus der Herzöge von Brabant (1698). Emblem des Hauses « die Klause ». – Casa de los Duques de Brabante (1698). Emblema de la casa « la Ermita ».

63. La Maison des Ducs de Brabant (1698). Emblème de la maison « la Renommée ». – Het Huis der Hertogen van Brabant (1698). Embleem van het huis « de Faam ». – The House of the Dukes of Brabant (1698). Emblem of the house « the Fame ». – Das Haus der Herzöge von Brabant (1698). Emblem des Hauses « der Ruhm ». – Casa de los Duques de Brabante (1698). Emblema de la casa « la Fama ».

64. La Maison des Ducs de Brabant (1698). Emblème de la maison « la Fortune ». – Het Huis der Hertogen van Brabant (1698). Embleem van het huis « de Fortuin ». – The House of the Dukes of Brabant (1698). Emblem of the house « the Fortune ». – Das Haus der Herzöge von Brabant (1698). Emblem des Hauses « das Glück ». – Casa de los Duques de Brabante (1698). Emblema de la casa « la Fortuna ».

65. La Maison des Ducs de Brabant (1698). Détail de la maison « le Pot d'Étain ». – Het Huis der Hertogen van Brabant (1698). Detail van het huis « de Tinnen Pot ». – The House of the Dukes of Brabant (1698). Detail of the house « the Pewter Pot ». – Das Haus der Herzöge von Brabant (1698). Teilansicht des Hauses « die Zinnerne Kanne ». – Casa de los Duques de Brabante (1698). Detalle de la casa « el Jarro de Estaño ».

ANNO
1697
ANK

66. La Maison des Ducs de Brabant (1698). Emblème de la maison « le Moulin à Vent ». – Het Huis der Hertogen van Brabant (1698). Embleem van het huis « de Windmolen ». – The House of the Dukes of Brabant (1698). Emblem of the house « the Windmill ». – Das Haus der Herzöge von Brabant (1698). Emblem des Hauses « die Windmühle ». – Casa de los Duques de Brabante (1698). Emblema de la casa « el Molino de Viento ».

67. Détail de la façade de la maison la Balance (1704). – Geveldetail van het huis de Balans (1704). – Detail of the façade of the house the Scales (1704). – Teilansicht des Hauses die Waage (1704). – Detalle de la fachada de la casa « la Balanza » (1704).

68. Détail et emblème de
maison la Balance (1704).
Detail en embleem van he
huis de Balans (1704). – Deta
and emblem of the house th
Scales (1704). – Teilansicht un
Emblem des Hauses die Waag
(1704). – Detalle y emblema d
la casa la Balanza (1704).

69. Maisons du groupe nord-est. De g. à d.: la Maison du Roi (reconstr. 1873-1896), la Chambrette de l'Amman (1709), le Pigeon (1697), la Chaloupe d'Or (1698), l'Ange, Joseph et Anne. – Huizen van de noord-oost groep. Van l.n.r.: het Broodhuis (herb. 1873-1896), het Ammanskamerke (1709), de Duif (1697), de Gulden Boot (1698), de Engel, Jozef en Anna. – Houses of the North-East group: the « Maison du Roi » (reb. 1873-1896), the house of the Haman (1709), the Pigeon (1697), the Golden Boat (1698), the Angel, Joseph and Ann. – Hauser der Nord-Ostgruppe: von l.n.r. das Brothaus (wiederaufbau 1873-1896), das Ammanshaus (1709), die Taube (1697), das Goldene Schiff (1698), der Engel, Jozef und Anna. – Casas del grupo nordeste. De izq. a der.: la Casa del Rey (reconstr. en 1873-1896), la Habitación del Magistrado (1709), la Paloma (1697), la Chalupa de Oro (1698), el Angel, José y Ana.

70. Maisons du group nord-est. De g. à d. le Pigeon (1697), Chaloupe d'Or (1698) l'Ange, Joseph e Anne. – Huizen va de noord-oostgroep Van l.n.r.: de Du (1697), de Gulde Boot (1698), de Enge Jozef en Anna. – Houses of the North-Eas group: the Pigeo (1697), the Golde Boat (1698), the Ange Joseph and Ann. Häuser der Nord-Ost gruppe: die Taub (1697), das Golden Schiff (1698), der En gel, Jozef und Anna. Casas del grupo norc este. De izq. a der. la Paloma (1697), Chalupa de Or (1698), el Angel, Jos y Ana.

71. Maisons du groupe nord-est. De g. à dr. : le Pigeon (1697), la Chaloupe d'Or (1698), l'Ange. – Huizen van de noord-oostgroep. Van l.n.r.: de Duif (1697), de Gulden Boot (1698), de Engel. – Houses of the North-East group: the Pigeon (1697), the Golden Launch (1698), the Angel. – Häuser der Nord-Ostgruppe: die Taube (1697), das Goldene Schiff (1698), der Engel. – Casas del grupo nordeste. De izq. a der.: la Paloma (1697), la Chalupa de Ore (1698), el Angel.

72. Détails de la façade des ma sons: la Chalupe d'Or (1698) l'Ange. – Geveldetails van huizen: de Gulden Boot (169 en de Engel. – Details of th façades of the houses the Golde Launch (1698) and the Angel. Teilansicht der Häuser das Go dene Schiff (1698) und der Enge – Detalle de la fachada de casas la Chalupa de Oro (1698) el Angel.

73. Façades des maisons le Pigeo (1697) et la Chaloupe d'Or (1698 – Gevels van de huizen de Du (1697) en de Gulden Boot (1698) – Façades of the houses th Pigeon (1697) and the Golde Launch (1698). – Giebel de Häuser die Taube (1697) und da Goldene Schiff (1698). – Fachada de las casas la Paloma (1697) y Chalupa de Oro (1698).

MAISON ANTOINE
DENTELLES
OLD BRUSSELS LACE SHOP

74. Pignons des maisons le Pigeon (1697), la Chaloupe d'Or (1698), l'Ange et Joseph et Anne. – Puntgevels van de huizen de Duif (1697), de Gulden Boot (1698), de Engel, Jozef en Anna. – Gables of the houses the Pigeon (1697), the Golden Launch (1698), the Angel, Joseph and Ann. – Giebel der Häuser die Taube (1697), das Goldene Schiff (1698), der Engel, Jozef und Anna. – Gabletes de las casas la Paloma (1697), la Chalupa de Oro (1698), el Angel y José y Ana.

75. Détail de la maison la Chaloupe d'Or (1698). – Detail van het huis de Gulden Boot (1698). – Detail of the house the Golden Launch (1698). – Teilansicht des Hauses das Goldene Schiff (1698). – Detalle de la casa la Chalupa de Oro (1698).

76. Spectateurs intrigués. – Geboeide toeschouwers. – Fascinated spectators. – Gefesselte Zuschauer. – Espectadores intrigados.

77. Le Marché-aux-oiseaux. – De Vogelmarkt. – The Bird-Market. – Der Vogelmarkt. – El Mercado de los pájaros.

78. La Grand-Place, lieu de rendez-vous des touristes. – De Grote Markt, trefpunt voor toeristen. – The Grand-Place rendez-vous for the tourists. – Grand-Place, Treffpunkt der Touristen. – La Plaza Mayor punto obligado de los turistas

79. La Maison du Roi (reconst 1873-1896). – Het Broodhu (herbouwd 1873-1896). – Th « Maison du Roi » (rebui 1873-1896). – Das Brothau (wiederaufgebaut 1873-1896). La Casa del Rey (reconstruid en 1873-1896).

80. Suivez le guide. – Volg de gids. – Follow the guide. – Geführter Besuch. – Escuchando al guía.

81. La Maison du Roi (reconstruite 1873-1896). – Het Broodhuis (herbouwd 1873-1896). – The « Maison du Roi » (rebuilt 1873-1896). – Das Brothaus (wiederaufgebaut 1873-1896). – La Casa del Rey (reconstruida en 1873-1896).

82. La Maison du Roi (reconst
1873-1896). – Het Broodhu
(herbouwd 1873-1896). – Th
« Maison du Roi » (rebui
1873-1896). – Das Brothau
(wiederaufgebaut 1873-1896).
La Casa del Rey (reconstru
en 1873-1896).

83. La Maison du Roi (reconstr. 19e s.), la Chambrette de l'Amman (1709), le Pigeon (1697). – Het Broodhuis (herb. 19de e.), het Ammanskamerke (1709), de Duif (1697). – The « Maison du Roi » (reb. 19th c.), the house of the Haman (1709), the Pigeon (1697), – Das Brothaus (wiederaufb. 19. Jh.), das Ammanshaus (1709), die Taube (1697). – La Casa del Rey (reconstr. en el s. 19), la Habitación del Magistrado (1709), la Paloma (1697).

84. Pignon sud de la Maison du Roi. – Zuidelijke puntgevel van het Broodhuis. – South gable of the « Maison du Roi ». – Südgiebel des Brothauses. – Gablete de la parte sur de la Casa del Rey.

85. La Maison du Roi (reconstr. 19e s.). Détail de la façade principale. – Het Broodhuis (herb. 19de e.). Detail van de hoofdgevel. – The « Maison du Roi » (reb. 19th c.). Detail of the main façade. – Das Brothaus (wiederaufb. 19. Jh.). Teilansicht des Hauptgiebels. – La Casa del Rey (reconstr. en el s. 19). Detalle de la fachada principal.

86. La Maison du Roi (reconstr. 19e s.). Détail. – Het Broodhuis (herb. 19de e.). Detail. – The « Maison du Roi » (reb. 19th c.). Detail. – Das Brothaus (wiederaufb. 19. Jh.). Teilansicht. – La Casa del Rey (reconstr. en el s. 19). Detalle.

87. La Maison du Roi. Une salle du musée. – Een zaal van het Broodhuis-museum. – The « Maison du Roi ». One of the museum rooms. – Saal des Brothausmuseums. – La Casa del Rey. Una sala del museo.

88. La Maison du Roi (reconstr. 19e s.). Détail de la façade sculptée. – Het Broodhuis (herb. 19de e.). Detail van de gebeeldhouwde voorgevel. – The « Maison du Roi » (reb. 19th c.). Detail of the sculptured façade. – Das Brothaus (wiederaufb. 19. Jh.). Teilansicht der Giebelskulpturen. – La Casa del Rey (reconstr. en el s. 19). Detalle de la fachada esculpida.

89. Une partie du musée de la Maison du Roi. – Een gedeelte van het Broodhuismuseum. – A section of the museum of the « Maison du Roi » – Abteilung des Brothausmuseums. – Parte del museo de la Casa del Rey.

90. La Maison du Roi (reconstr. 19e s.). Détail de la façade sculptée. – Het Broodhuis (herb. 19de e.). Detail van de gebeeldhouwde voorgevel. – The « Maison du Roi » (reb. 19th c.). Detail of the sculptured main façade. – Das Brothaus (wiederaufb. 19. Jh.). Teilansicht des Hauptgiebels. – La Casa del Rey (reconstr. en el s. 19). Detalle de la fachada esculpida.

91. La Maison du Roi. La salle des céramiques. – Het Broodhuis. De keramiekzaal. – The « Maison du Roi ». The ceramics section. – Das Brothaus. Die Keramik-Abteilung. – La Casa del Rey. Sala de las cerámicas.

92. Groupe de maisor
entre la rue au Beurre e
la rue Chair et Pain: d
g. à dr. l'Ane, Ste-Barb
le Chêne et le Petit Re
nard. – Huizengroep tu
sen de Boter- en de Vlee
en Broodstraat: van l.n.
de Ezel, Sinte-Barbara, d
Eik en het Voske. – Hou
ses between the rue a
Beurre and the rue Chai
et Pain: the Ass, S. Bar
bara, the Oak and th
Little Fox. – Häuse
zwischen die rue a
Beurre und die rue Chai
et Pain: der Esel, H. Bar
bara, die Eiche, der Klein
Fuchs. – Grupo de casa
entre la calle «au Beurre
y la calle « Chair et Pain »
de izq. a der. el Burro
Santa Bárbara, el Roble
el Zorrillo.

93. La Maison du Roi. Le Salon. – Het Broodhuis. Salon. – The « Maison du Roi ». The Drawing-room. – Saal des Brothauses. – Salón de la Casa del Rey.

94. Detail de la maison le Paon. – Detail van het huis de Pauw. – Detail of the house the Peacock. – Detail des Hauses der Pfau. – Detalle de la casa « el Pavo Real ».

5. Hôtel de Ville. L'Escalier
es Lions. Lion héraldique
enant l'éccusson de Bru-
elles (St. Michel terrassant
e démon). – Stadhuis. De
eeuwentrap. Heraldische
euw met het waarteken
an Brussel (St. Michiel
oodt de demon). – City
all. Lions' stairs. Heraldic
on holding the escutcheon
f Brussels (S. Michael kil-
ng the devil). – Rathaus.
ie Löwentreppe. Heral-
ischer Löwe mit Wappen
er Stadt (H. Michael tötet
en Teufel). – Ayunta-
iento. Escalera de los
eones. León heráldico con
scudo de Bruselas (San
liguel matando al demo-
io).

96. Détail de la maison
Pigeon (1697). – Detail v
het huis de Duif (1697).
Detail of the house t
Pigeon (1697). – Detail d
Hauses die Taube (1697).
Detalle de la casa la Palor
(1697).

A. Vander Linden

INTRODUCTION

Le 7 décembre 1899, le bourgmestre de Bruxelles, Charles Buls, restaurateur de la Grand-Place, s'est exprimé avec une belle éloquence lors de l'inauguration du monument qui reconnaît la part qu'il a prise à cette sauvegarde : « La Flandre a eu la chance heureuse d'avoir une pléiade d'artistes qui exprimèrent l'ardent amour de la liberté avec le faste pompeux qui était le propre de la population. J'ai senti que le désir des générations actuelles était de conserver cette vieille Grand-Place, échappée aux transformations des villes prospères modernes et où notre admirable Hôtel de Ville est le symbole de nos libertés communales, où les autres constructions rappellent le souvenir de nos anciennes gildes. J'ai senti qu'en reconstituant cette place, je ne faisais que réaliser le désir de tous... L'impulsion est donnée, et il n'y a pas à craindre qu'elle s'arrête : la population a compris le charme que l'art donne à une ville, nous comprenons tous, avec notre vieux sang de communiers, que la liberté doit se traduire dans les œuvres d'art de la cité. ».

La Grand-Place a une raison communale, une mission sociale. Quand on pense à l'importance des habitants d'une commune au moment où les rassemblaient les dangers, les élections, les décisions à prendre : c'était sur la place que se forgeaient les idées d'ensemble, que se rassemblaient les énergies. Mais il est des villes où la Grand-Place est presque inexistante : par exemple à Louvain. On se prend, dès lors, à se demander si cette place doit être grande, si elle a une raison de l'être. Bien sûr, l'exemple de Moscou ou de Rome est tentant à citer. Mais on pourrait nommer quantité de villes européennes qui ne souffrent pas de gigantisme et qui sont petites à la grandeur de l'homme.

Et si l'on regarde la Grand-Place sans personne dessus, sans voitures qui y circulent ou y stationnent, sans marchands d'oiseaux ni de fleurs, elle est de confortables dimensions et d'harmonieuses mesures.

La Grand-Place offre un décor extraordinaire. On se prend à se demander si les façades abritent des souvenirs, des spectres ou des êtres vivants. Certains restaurants, cer-

INLEIDING

Op 7 december 1899, ter gelegenheid van de inhuldiging van de gedenkplaat die herinnert aan zijn aandeel in het vrijwaren van het stadspatrimonium, drukte de toenmalige burgemeester van Brussel, Karel Buls restaurator van de Grote Markt, zich uit in de volgende fraaie bewoordingen : Vlaanderen heeft het geluk gehad, te kunnen beschikken over een grote schaar kunstenaars die, met de volkseigen zin voor praal en pracht, uitdrukking hebben gegeven aan hun vurige vrijheidsliefde.

Ik had het gevoel, dat het de wens was van de huidige generaties, deze oude Grote Markt, die de tribulaties van de moderne welvaartstad heeft overleefd, waarvan ons wondermooie Stadhuis het symbool van onze gemeentelijke vrijheden is en waarvan de overige huizen herinneren aan onze oude gilden, ongeschonden voor het nageslacht te bewaren.

Ik had ook het gevoel, dat ik, met het restaureren van de Grote Markt, slechts de wens van allen heb verwezenlijkt... De stoot is gegeven, en we hoeven er geenszins voor te vrezen dat het daar bij blijven zal : de bevolking heeft begrepen hoeveel charme de kunst aan een stad kan verlenen en, dank zij ons oud gemeentenarenbloed, begrijpen wij allen dat de vrijheid tot uiting moet komen in de kunstwerken van de stad'.

De Grote Markt heeft een gemeentelijke betekenis, een sociale zending. Stellen wij ons even de macht voor van de inwoners van een gemeente, verzameld op ogenblikken van gevaar, verkiezingen, te nemen beslissingen; op het marktplein werden de grote, gezamenlijke ideeën gesmeed, werden energieën gebundeld. Maar er zijn steden die omzeggens geen grote markt hebben : Leuven bijvoorbeeld. Men kan zich dan ook afvragen of dit plein groot moet zijn, of het enige bestaansreden heeft. Vanzelfsprekend is het verleidend voorbeelden als Rome of Moskou aan te halen. Maar tal van Europese steden lijden niet aan gigantisme, zijn klein en hebben de mens tot maatstaf.

Ziet men de Grote Markt zonder mensen, zonder rijdende of stilstaande wagens, zonder vogel- of bloemenverkopers, dan eerst merkt men dat ze comfortabele afmetingen

FOREWORD

On december 7, 1899, Charles Buls, burgomaster of Brussels and restorer of the Grand-Place, spoke with some flourish at the unveiling of the monument which was erected in recognition of his part in its preservation : "Flanders had the happy fortune of possessing a pleiad of artists who gave expression to the ardent love of liberty with the pompous splendour proper to its population.

I felt that the present generations wanted to preserve this old Grand-Place that has been spared the transformations carried out in prosperous, modern cities, with its superb City Hall, the symbol of our civic liberties, and whose other buildings evoke the memories of our ancient guilds. In restoring this public square, I felt that I was implementing everybody's wish... The impulse has been given, and there is no danger that it will be brought to a halt; the population understands the charm conveyed by art to the city. We all understand in our very blood, as old citizens, that freedom must find expression in civic works of art".

The Grand-Place fulfils a civic and social function. Let us consider the significance of a community gathered in times of danger, or when polls are being held, or when decisions must be taken. It was on the public square that ideas were being hammered out, or a common determination was elaborated. There are, however, cities – such as, e.g., Louvain – where the Grand-Place is almost non-existent. The question, therefore, can be asked as to whether such a square ought to be wide, and whether it has any justification. It would, of course, be tempting to refer to Moscow, or Rome. There are, however, a great number of European cities untouched by gigantism; they remain small, and proportioned to the human size.

Looking at the empty Grand-Place, cleared of traffic and parked cars, of its stalls where birds or flowers are offered for sale, one realizes that it has comfortable dimensions and harmonious proportions.

The Grand-Place is the setting of an unusual stage. One wonders whether those façades are sheltering past

EINLEITUNG

Am 7. Dezember 1899, bei der Enthüllung der Gedenktafel zur Anerkennung seines Beitrages am Wiederaufbau des Grossen Marktes, drückte sich der Bürgermeister von Brüssel, Charles Buls, mit Worten der Begeisterung u.a. so aus :

»Flandern hatte das Glück, eine grosse Anzahl Künstler hervorgebracht zu haben, die ihre Liebe zur Freiheit mit einem ihrem Volke eigenen Prunk zum Ausdruck brachten. Ich fühlte es wohl, dass unsere Generation den Wunsch hegte, diesen alten »Grossen Markt«, der den Umwandlungen und dem Fortschritt unserer modernen Städte entging, in all seiner Pracht zu erhalten. Dort steht unser herrliches Rathaus, dort stehen all die anderen Gebäude, die uns an die früheren Gilden erinnern. Ich hatte das Gefühl, dass mit dem Wiederaufbau des Marktes der Wunsch aller erfüllt würde. Der Impuls war gegeben und nichts konnte ihn hemmen. Die Bevölkerung wurde sich endlich bewusst, welchen Reiz die Künste auf eine Stadt ausüben können.
Mit unserem alten Bürgersinn fühlen wir auch, dass die Freiheit sich in den Kunstwerken einer Stadt widerspiegelt.«

Der Grosse Markt ist Sitz der Gemeindeverwaltung und dient sozialen Aufgaben, denn es ist wichtig, dass die Bewohner einer Gemeinde sich zusammenfinden im Augenblick der Gefahr, zur Abhaltung von Wahlen oder wenn wichtige Entschlüsse gefasst werden müssen. Märkte waren Ausgangspunkt von Ideen und Taten. In manchen Städten sind die Marktplätze klein, wie z.B. in Löwen. So stellt man sich die Frage, ob die Grösse eines Marktes von Bedeutung ist. Hierbei denkt man dann gleich an Beispiele wie Moskau und Rom. In zahlreichen europäischen Städten dagegen strebt man nicht nach Riesenhaftem und zieht es vor, sich eher an den Massstab des Menschlichen zu halten.

Hierfür spricht der Grosse Markt von Brüssel, wenn man ihn zu gewissen Zeiten menschenleer, ohne Wagen, ohne Vogel- und Blumenhändler betrachten und seine harmonisch gefügten Perspektiven bewundern kann. Der Grosse Markt ist wie eine Theaterdekoration. Er

tains magasins, certains cafés n'offrent aucune difficulté à être ainsi représentés.

Ils sont l'image d'un contact avec la rue, avec la vie. Mais d'autres maisons cachent leur appartenance au public et semblent ne pas faire partie de la vie. Pourtant, leur devant orné et doré, se montrant en plein aux yeux les plus aveugles, exposent à tous les détails de leur richesse.

A vrai dire, on peut s'expliquer pourquoi la Grand-Place de Bruxelles n'a pas connu, pendant longtemps, le charme qui se dégage de ce que nous voyons aujourd'hui : ce n'est pas avant le XIXe siècle que les voyageurs se rendant à la Grand-Place commencent à s'y rendre dévotement et à faire part de leurs impressions. Avant, pouvaient-ils se rendre compte qu'ils étaient sur une place : les façades n'étaient pas toutes alignées, la Maison du Roi avait une avancée importante, les brocanteurs et les maraîchers et maraîchères, de même que les marchands de fleurs et d'oiseaux emplissaient tous les espaces de cette vaste esplanade. Le regard n'en percevait pas les détails ni les minuties et se heurtait au spectacle que lui offrait le sol. On peut s'expliquer pourquoi les flonflons d'une fête foraine pouvaient arrêter davantage les voyageurs que leur donner le sens d'une perspective architecturale ou d'un ensemble glorieux de façades. Il faut avouer que le bombardement de la Grand-Place par le maréchal de Villeroy, en 1695, ne permet pas de trouver des témoignages nombreux et admiratifs sur ce témoin détruit.

Les hommes du XVIIIe siècle se soucient peu de cet endroit : Derival, auteur du *Voyageur dans les Pays-Bas autrichiens*, n'hésite pas à appeler la plus belle place celle qu'on nomme Place Royale. Il témoigne une certaine estime pour la Place Saint-Michel (Place des Martyrs) et ne montre guère d'enthousiasme pour celle qu'on nomme la Grande Place ou le Grand Marché. Pour lui, l'intérieur de l'Hôtel de Ville « n'offre rien de remarquable » et il confie que la façade est estimée par « ceux qui ont encore quelque respect pour l'architecture gothique ». Mais les maisons de la Grand-Place sont décrites en termes qui trahissent l'indifférence. Passant avec sa famille à Bruxelles, en 1763, Léopold Mozart doit s'arrêter trois semaines à Bruxelles Mais si, dans une lettre, il parle des monuments, c'est avant tout pour

heeft en ook harmonische verhoudingen.

De Grote Markt biedt een ongewoon schouwspel. Men zou willen weten of achter deze gevels herinneringen, geesten of levende mensen wonen. Sommige spijshuizen, winkels en drankgelegenheden stellen op dat stuk geen problemen. Er is het contact met de straat, met het leven. Maar andere huizen lijken buiten het leven te staan. En nochtans stallen hun versierde en vergulde gevels, aan al wie zien wil, alle details van hun rijkdom ten toon.

In feite is het niet zo moeilijk te begrijpen, waarom de Grote Markt van Brussel zolang de charme heeft moeten ontberen die uitgaat van wat we thans te zien krijgen : eerst sedert de 19de eeuw begonnen de reizigers die de Grote Markt bezochten, deze plaats met een zekere devotie te benaderen en ons hun indrukken erover mede te delen. Waren ze zich voordien wel bewust van het feit dat ze zich op een plein bevonden? De gevels vormden geen rechte lijn, het Broodhuis sprong ver vooruit op de rooilijn, de uitdragers, de warmoezeniers en warmoezeniersters, de bloemen- en vogelhandelaars vulden alle plaatsjes en hoeken van het ruime plein. Het oog ving geen glimp op van enig detail en had reeds genoeg te verwerken met het spectakel dat zich op de begane grond afspeelde. Overigens kan men zich best voorstellen dat de luchtige deuntjes van een kermisfeest de reiziger eerder afschrikten dan dat ze hem ertoe aanzetten de zin te vatten van een architectuurperspectief of van een schitterend gevelcomplex.

Wel moet worden toegegeven, dat het bombardement van maarschalk de Villeroy in 1695, ons thans in de onmogelijkheid stelt, vele getuigenissen te ontdekken betreffende datgene wat vernield werd.

De achttiende-eeuwse reizigers had weinig oog voor de Grote Markt : Derival, auteur van de *Voyageur dans les Pays-Bas autrichiens*, aarzelt niet het Koningsplein als het mooiste van Brussel te bestempelen. Hij geeft blijk van een zekere belangstelling voor het Sint-Michiels-plein (Martelarenplein), maar toont niet het minste enthoesiasme voor de Grote Markt. De zalen van het Stadhuis bezitten volgens hem, niets merkwaardigs. Toch geeft hij toe dat de voorgevel nog bewonderd wordt door diegenen die nog enig respect kunnen opbrengen voor de gotiek. Over de huizen van de Grote Markt schrijft hij met de grootste onverschilligheid.

records, ghosts, or living people. Certain restaurants, shops, or pubs are speaking for themselves. They are in close contact with the street, with life. Other buildings, however, are hiding their destination from the public. They seem to be outside the flow of life, altough they fully dîsplay the details of their wealth.

The Brussels Grand-Place, for many, many years, did not display the beauty which we see there to-day. This can be explained. Visiting the place, and recording its impact began only in the 19th century. Before that time travellers could hardly realize that it was a public square. The buildings were unaligned. The "Maison du Roi„ showed a substantial bulge. The whole surface was taken up by second-hand dealers, market-gardeners, flower and bird stalls. The eye was unable to discern surrounding details, saturated as it was by the live show on display. A traveller îs prone to remembering the blare of a funfair, rather than an architectural perspective, or a glorious set of façades.

There are but a few testimonies of admiration available with regard to the Grand-Place as it was, before it was destroyed by bombing, in 1695, by Marshal de Villeroy.

People, in the 18th century, cared little for the spot. Derival, the author of the *Voyageur dans les Pays-Bas autrichiens*, un-hesitatingly points to the present "Place Royale„ as the finest one. He shows some appreciation for the "Place Saint-Michel„ (Place des Martyrs), but is lukewarm towards the one called "Grand-Place„, or "Place du Marché„. The inside of the city hall, he says, "presents nothing worth noticing", adding, however, that the façade is appreciated "by those who still have some respect for gothic architecture„. The buildings on the Grand-Place are described in terms wich reflect indifference.

In 1763, Leopold Mozart had to spend three weeks in Brussels with his family. In a letter, his sole reference to monuments concerns the fair, during which the city hall is used as a storage facility for his luggage against bad weather. He has no good word for the building, except to say that it is "exceptionally spacious„.

Only in the 19th century will travellers become aware of the Grand-Place's architectural display. Gérard

weckt in uns Gedanken und man fragt sich, welche geheimnisvollen Erinnerungen hinter den Fassaden verborgen sind, ob dahinter Geister oder lebendige Menschen wohnen. Zum Leben gehören die Restaurants, Läden und Cafés. Weit vom Leben entfernt dagegen stehen die anderen Häuser, die sich vor dem Publikum verschliessen, obgleich ihre verzierten und vergoldeten Fassaden leuchtend ins Auge fallen.

Wie kann man verstehen, dass der Grosse Markt von Brüssel lange Zeit unbekannt blieb und nicht denselben Reiz wie heutzutage ausübte? Erst im 19. Jahrhundert zog der Grosse Markt die Reisenden an, die ihn mit Begeisterung beschrieben; aber war der Eindruck vor dieser Periode der gleiche?

Seine Fronten bildeten keine einheitliche Linie. Das « Broodhuis » sprang weit vor.

Der ganze Markt wurde von Trödlern, Gemüse- und Obsthändlern, Blumen- und Vogelverkäufern mit ihren Buden eingenommen. So war der Blick vom Schauspiel auf dem Platz angezogen, statt in der Höhe die Giebel zu bewundern. Das Getümmel der Volksfeste machte auf die Reisenden mehr Eindruck als die architektonischen Perspektiven der herrlichen Fassaden.

Auch nur wenige Schriften als Zeugen der Bewunderung blieben erhalten, denn die Beschiessung des Grossen Marktes im Jahre 1695 durch den Marchall de Villeroy hatte alles vernichtet.

Im 18. Jahrhundert hatte man nur wenig Interesse für den Grossen Markt. Derival, Autor des Buches *Voyageur dans les Pays-Bas autrichiens* nannte ohne Zögern als schönsten Platz von Brussel den Place Royale. Er erweist wohl einen gewissen Respekt dem Place St. Michel (Place des Martyrs), legt aber keinerlei Bewunderung an den Tag für den Platz, den man Grand'Place oder Grand Marché nennt. Seine Ansicht war, dass das Innere des Rathauses »von keiner besonderen Bedeutung« wäre und die Fassade nur von denen geschätzt würde, »die noch einen gewissen Sinn für Gotik« haben. Die Häuser des Grossen Marktes sind mit Worten beschrieben, die gänzliche Gleichgültigkeit widerspiegeln.

Leopold Mozart, der im Jahre 1763 mit seiner Familie drei Wochen in Brüssel verweilte, spricht wohl in einem Brief von den Denkmälern, aber vor allem von der Kirmes,

évoquer la kermesse qui utilise l'Hôtel de Ville pour y entreposer ses marchandises et les mettre à l'abri des intempéries. Pas un mot sur la beauté du bâtiment dont on apprend qu'il est « singulièrement vaste ».

Ce n'est pas avant le XIXe siècle qu'on aura des voyageurs arrêtés par le spectacle architectural de la Grand-Place. Gérard de Nerval y fut sensible et s'en explique : « Je ne veux que rappeler ce prodigieux spectacle à ceux qui l'ont admiré ». C'est par un beau jour de soleil ou par une de ces nuits claires des temps de gelée, dont s'accommode la physionomie de ces pays, qu'il faut traverser la place de Bruxelles. L'Hôtel de Ville, immense et magnifique, surmonté de la tour de Saint-Michel, ciselée, brodée, évidée comme une flèche de cathédrale, élevant à trois cents pieds l'image dorée du saint patron; la Maison-au-Pain, située en face, qui semble un palais sombre de Venise ou de Florence; vingt maisons d'une architecture merveilleuse, complètent le carré long de la place, sculptées, peintes ou dorées; l'hôtel où se font les ventes, qui est un vaste palais dans le style Louis XIV; la Maison des Brasseurs, qui offre une façade de marbre noir rehaussée d'or; la Maison des Mariniers, figurant à ses étages supérieurs une poupe de vaisseau chargée de statues et d'attributs bizarres; d'autres maisons encore, bossuées, ventrues, festonnées en rocailles selon le vieux goût flamand : tels sont les éléments de cet ensemble unique.

« La Bourgogne, l'Espagne et l'Autriche ont tour à tour marqué là le passage de leur domination, y laissant des chiffres, des armoiries, des statues, des devises; les toits aigus, fleuronnés, découpés hardiment sur le ciel rappellent seuls l'architecture d'un pays froid et brumeux. ».

Baudelaire admire « ce prodigieux décor » de la place, qu'il qualifie en termes heureux de « coquette et solennelle ». Mais si, plus près de nous, avec son art des formules heureuses, Jean Cocteau peut chanter « Bruxelles, dont la place est un riche théâtre », on peut lui préférer un autre poète qui fut historien d'art, Paul Fierens, qui en une formule heureuse sut condenser les apports de trois siècles qui se conjuguent et s'harmonisent : « Une place médiévale en habits baroques ».

Cette formule, en fin de compte, est celle qui respecte toutes les données

In 1763, op doortocht met zijn familie, verbleef Leopold Mozart drie weken te Brussel. In een brief, waarin hij het over de monumenten van de stad heeft, beschrijft hij de kermis op de Grote Markt en vertelt hij dat het Stadhuis gebruikt wordt als een soort depot, waarin de kermiswaar, ter bescherming tegen regen en wind, wordt opgeslagen. Geen woord over de schoonheid van het gebouw, waarvan hij alleen weet te vertellen dat het 'bijzonder ruim' is.

Eerst vanaf de 19de eeuw treffen wij reizigers aan, die het architectuurschouwspel van de Grote Markt naar waarde weten te schatten : Gérard de Nerval werd er zeer door getroffen en schreef er het volgende over : 'Ik wil dit verbazingwekkend schouwspel slechts in herinnering brengen van dezen die het hebben bewonderd... Men moet de Grote Markt bezoeken op een mooie zonnige dag of tijdens een heldere nacht bij vriesweer die zo goed passen bij de fysionomie van dit land. Het stadhuis : immens en prachtig, bekroond met de Sint-Michielstoren, gebeiteld, geborduurd, uitgewerkt als de spits van een kathedraaltoren en waarop, driehonderd voet boven de begane grond, het vergulde beeld prijkt van de schutspatroon; het ertegenover gelegen Broodhuis dat veel weg heeft van een somber Venetiaans of Florentijns paleis; twintig wondermooie huizen, gebeeldhouwd, beschilderd of verguld, vervolledigen de rechthoek van het plein; het huis waar de veilingen worden gehouden, is een ruim paleis in Lodewijk XIV-stijl; het huis der Brouwers heeft een zwartmarmeren, vergulde gevel; het huis der Zeelieden, waarvan de bovenste verdiepingen een scheepsboeg uitbeelden, is versierd met standbeelden en bizarre attributen; andere huizen nog, gebult, buikig en opgesmukt naar oud-Vlaamse trant : dat zijn de elementen van dit unieke ensemble.

'Boergondië, Spanje en Oostenrijk hebben er beurtelings het stempel van hun overheersing op gedrukt, zichtbaar in jaartallen, wapenschilden, standbeelden en leuzen; alleen de hoge, met bloemvormige versierselen gesmukte en zich driest tegen de hemel aftekenende daken, herinneren er aan dat we ons in een koud en nevelachtig land bevinden.'.

Baudelaire spreekt zijn bewondering uit over 'dit schitterende decor' van de Grote Markt, die hij bestempeld als 'koket en plechtig'. En terwijl dichter bij ons, een Jean Cocteau, met zijn zin voor gelukkige formuleringen zingt 'Brussel, waarvan de Grote Markt een rijk theater is',

de Nerval recorded : "I only want to recall that prodigious show to all those who have admired it,,. The Brussels's square must be crossed by a fine sunny day, or during the clear frosty nights which are so flattering to the image of these areas. The huge, superb city hall, dominated by the St Michael spire which is chiselled, embroidered and scooped out like a cathedral tower, elevating by three hundred feet the gilded image of its holy patron; the "Maison-du-Pain", on the other side, similar to a dark palace in Venice or Florence; twenty houses of superb architectural design complete the lay-out of the square with coloured or gilded sculptures; the residence where sales are conducted, a spacious palace in Louis XIV style; the "Maison des Brasseurs,, with its marble façade touched up with gold; the "Maison des Mariniers,, carrying on its upper part the stern of a ship with statues and strange attributes; other, further mansions, embossed, portly, rugged in the old Flemish taste : such are the elements of this unique ensemble. "Burgundy, Spain, and Austria have made there, in succession, the marks of their domination leaving behind monograms, coats-of-arms, statues, mottoes; pointed, festooned roofs, sharply delineated against the sky are the only elements evoking the architecture of a cold and misty country.,,

Baudelaire admires "the prodigious setting,, of the square, which he felicitously calls "dainty, and solemn,,. In our own time Jean Cocteau, that master of the happy formula, has praised "Brussels, whose square is a rich theatre,,. Paul Fierens, who was both a poet and an art historian, has aptly summarized the successive and blending contributions from three centuries by describing the Grand-Place as "a medieval square in baroque dress,,.

The latter formula pays tribute to all relevant historical data. It reminds one of the fact that Jacques van Thienen began building the city hall in 1402, and that work was completed in 1454 by Jan van Ruysbroeck.

Most of the houses were made of wood; gradually, however, they were replaced by stone buildings, i.a. the "Maison du Roi,, and the "Halle-au-Pain,,, the latter serving as state jail in the 16th century. The earls Egmont and Horne were jailed there prior to their beheading on the Grand-Place, on June 5, 1568.

wobei das Rathaus nur als Lagerplatz diente zum Schutz der Waren vor Unwetter. Kein Wort über die Schönheit des Gebäude[e]. Dagegen erfährt man, dass es »äusserst geräumig« sei.

Erst im 19. Jahrhundert wurden die Reisenden von dem architektonischen Wert des Grossen Marktes beeindruckt. Gérard de Nerval drückte sich hierüber mit den Worten aus : »Ich möchte diesen überwältigenden Anblick nur denen in Erinnerung bringen, die ihn bewundert haben. Man muss diesen Platz von Brüssel an einem sonnigen Tag oder in einer klaren Nacht bei Frostwetter, das so gut zur Physiognomie dieses Landes passt, überschreiten. Das Rathaus, weiträumig und herrlich, ist von dem Turm St. Michael überragt, gemeisselt und durchsichtig wie die Spitze einer Kathedrale, gekrönt – 300 Fuss hoch – von der vergoldeten Statue des Schutzheiligen; das Broodhuis gerade gegenüber, gleicht einem dunklen Palast aus Venedig oder Florenz; zwanzig Häuser, in wunderbarer Bauweise, gemeisselt, bemalt und vergoldet vervollständigen den rechteckigen Platz; das Gebäude in dem Versteigerungen stattfinden, ist ein grosser Palast im Stil Louis-XIV. Das Brauershaus, besitzt eine Fassade in schwarzem Marmor mit Gold verziert; das Schiffershaus zeigt an den oberen Stockwerken das Abbild eines Schiffhecks voll von Figuren und seltsamen Attributen; noch andere Häuser sind bucklig, bäuchig und geschmückt nach alter flämischer Art : Dies alles zusammen bildet ein einzigartiges Ganzes.

Burgund, Spanien und Österreich hinterliessen Erinnerungen an ihre Herrschaft : Jahreszahlen, Wappenschilder, Denkmäler und Wahlsprüche; nur die spitzen Dächer, mit Endblumen versehen, die in den Himmel ragen, erinnern an die Bauweise eines kalten und nebligen Landes.«

Baudelaire bewundert diesen »erstaunlichen Dekor« des Platzes, den er mit den schönen Worten »kokett und ehrerbietig« bezeichnet. Wenn, unserer Zeit etwas näher, Jean Cocteau auf seine eigene Art sein Glück mit den Worten zum Ausdruck bringt : »Brüssel, dessen Platz ein herrliches Theater darstellt«, ist es doch auch erlaubt, der glücklichen Formulierung eines anderen Dichters den Vorzug zu geben und zwar der des Kunsthistorikers Paul Fierens, der das drei Jahrhunderte umfassende Kunstwerk in einem Satz harmonisch zusammen-

de l'histoire. C'est celle qui rappelle que l'Hôtel de Ville fut commencé en 1402 par Jacques van Thienen et qu'il fut achevé en 1454 par Jan van Ruysbroeck. La place avait des bâtiments dont la plupart étaient en bois, mais qui furent successivement remplacés par des bâtisses de pierres.

Que l'on songe notamment à la Maison du Roi, la Halle-au-Pain, qui servit de prison d'État au XVIe siècle. Les comtes d'Egmont et de Hornes y furent emprisonnés avant d'être décapités sur la Grand-Place, le 5 juin 1568.

La grande misère de la Grand-Place eut lieu sous le règne de Louis XIV : les 13 et 14 août 1695, les troupes que commandait le maréchal de Villeroy, procèdent au bombardement depuis les hauteurs de Scheut. Presque seul de la Grand-Place, l'Hôtel de Ville tint bon. Au lendemain du bombardement, on reconstruisit les maisons détruites. La direction générale des travaux fut confiée à Guillaume De Bruyn, architecte de la ville depuis 1685, qui devint le maître d'œuvre de la « Maison des ducs » et de « l'Arbre d'or », mais aussi le contrôleur et le surveillant des travaux attribués à ses confrères.

Sans doute convient-il de dire que ces hommes étaient moins architectes que décorateurs : Antoine Pastorana était menuisier et ébéniste, Pierre Herbosch avait la qualité de peintre, et la sculpture était le lot de Jean Van Delen, Corneille Van Nerven et Jean Cosijn.

Cela explique que l'ornement prime toujours, opulent, luxuriant, débordant. Les puristes (et c'est Paul Fierens qui le remarque) ont critiqué les façades, qui sont des œuvres de décorateurs avant d'être des pièces d'architecture.

Mais qu'importe si cette richesse du détail a eu raison des puristes, si les reconstructions ont tenu compte d'éléments baroques et d'une généreuse prodigalité ornementale, même si des lourdeurs et des surcharges s'y remarquent. Ce qui compte, en définitive, c'est la réussite d'une opulence dont la luxuriance est délirante, dont les lourdeurs s'envolent malgré leur amoncellement. Tels sont les illogismes de cette évolution, dont la vie même dépend puisqu'elle s'y métamorphose, s'y multiplie et s'y inscrit. Et les XIXe et XXe siècles ont cru pouvoir y apporter un ordre, un souci de l'histoire et de l'archéologie. Sans doute la

vat de dichter en kunsthistoricus Paul Fierens, de aanbreng van drie eeuwen samen met de woorden 'een middeleeuws plein in barokkleren'.

Ten slotte is het deze formulering die alle historische gegevens respecteert. Zij herinnert ons eraan, dat het Stadhuis in 1402 werd begonnen door Jakob van Thienen en in 1454 voltooid door Jan van Ruysbroeck. De meeste huizen omheen het plein waren uit hout opgetrokken en werden beurtelings vervangen door stenen gebouwen. Zo bijvoorbeeld het Broodhuis, dat, tot in de 16de eeuw, als staatsgevangenis dienst deed. De graven van Egmont en van Hoorn werden er in opgesloten, vooraleer onthoofd te worden op de Grote Markt, op 5 juni 1568.

De ellende voor de Grote Markt begon tijdens de regering van Lodewijk XIV : op 13 en 14 augustus 1695 gingen zijn troepen, die onder het bevel stonden van maarschalk de Villeroy, over tot de beschieting van Brussel, vanaf de hoogten van Scheut. Van de Grote Markt hield practisch alleen het Stadhuis stand. Onmiddellijk na het bombardement werd met de wederopbouw van de Grote Markt begonnen. De algemene leiding van de werken werd toevertrouwd aan Willem De Bruyn, sedert 1685 architect van de stad. Hij was tevens de hoofdarchitect van het Huis der Hertogen van Brabant en van 'De Gulden Boom', maar had tevens het toezicht op de werken die aan zijn confraters waren toevertrouwd. Het moet gezegd, dat deze mensen meer decorateur dan architect waren. Anton Pastorana was schrijnwerker en meubelmaker, Pieter Herbosch was schilder, Jan Van Delen, Cornelis Van Nerven en Jan Cosyn waren beeldhouwers. Dat verklaart waarom de versiering omzeggens overal hoogtij viert : ze is rijk, weelderig en overdadig. De puristen (Paul Fierens vestigt er overigens de aandacht op), hebben kritiek uitgebracht op deze gevels die eerder het werk zijn van sierkunstenaars dan van architecten.

Maar wat heeft het voor belang, wanneer deze detailrijkdom het haalt op de puristen, wanneer bij de reconstructie beroep werd gedaan op barokelementen en op een royale overdaad aan decoratie, zelfs wanneer het geheel ietwat zwaar op de hand en overladen uitvalt. Wat tenslotte telt, is het gelukkige resultaat dat werd bereikt met een vormenweelde waarvan de overdaad uitzinnig is en de plompheid, spijts de opeenhoping, luchtig lijkt. Zo zijn nu eenmaal de illogismen van deze evolutie, waarvan het leven zelf

The Grand-Place's great trial occured under Louis XIV's reign. On August 13 and 14, 1695, the troups under Marshal de Villeroy's command, undertook to bomb it from the hills at Scheut. The only building that remained standing was the city hall. Immediately after the bombing, the destroyed houses were re-built. Overall management was in the hands of Guillaume De Bruyn, the city architect since 1685, who, besides designing the "Maison des Ducs" and the "Arbre d'Or", also supervised and checked commissions entrusted to colleagues.

These men were decorators, rather than architects : Antoine Pastorane was a carpenter and cabinet-maker. Pierre Herbosch was a qualified painter. Jean Van Delen, Corneille van Nerven and Jean Cosyn were sculptors.

This goes a long way towards explaining the luxuriance, the overwhelming opulence of decoration. Paul Fierens has noted that purists have criticized the façades for being the work of decorators, rather than samples of architecture.

When reconstruction was undertaken, baroque prodigality prevailed down to the smallest details, and here and there, there is overloading, or heaviness. The final result, however, has been such a delirious wealth as to offset its own accumulated ponderousness. There is something illogical here, a lack of cohesion reflecting life itself in its constant changes and ramifications. There have been endeavours, in the 19th and 20th centuries, to put some order in the picture as a whole, on historical and archeological grounds. Good intentions, inspired by pedantry, rather than by sensibility, have prevailed over authenticity.

As it stands to-day, however, the Grand-Place is a quivering tangle of sculpted, cut, living, decorated, gilded stones generating an atmosphere of rejoicing. It makes one think of refined jewellery, of a dancing tune. It is conducive to a kind of intoxication, making one oblivious of the fact that it is an incongruous medley from the 15th century onward to yesterday.

The architecture spread over so many years, however, encompasses a square that remains the centre of the city, and where happy crowds will gather, to celebrate a liberation,

fasst : »Ein mittelalterlicher Platz in barockem Gewand«.

Diese Formulierung gibt am besten alle historischen Begebenheiten wieder. Der Beginn des Rathausbaues erfolgte im Jahre 1402 durch Jakob van Thienen und dessen Vollendung im Jahre 1454 durch Jan van Ruysbroeck.

Usprünglich waren die meisten Häuser des Platzes in Holz, wurden aber nach und nach durch Stein ersetzt. Dabei denkt man insbesondere an das Broodhuis, das im 16. Jahrhundert als Staatsgefängnis diente. Die Grafen von Egmont und von Hoorn wurden dort gefangengehalten, bevor sie auf dem Grossen Markt am 5. Juni 1568 enthauptet wurden.

Das grösste Unglück für den Grossen Markt war die Beschiessung aus den Höhen von Scheut durch die Truppen des Marchalls de Villeroy auf Befehl von Louis-XIV. am 13. und 14. August 1695. Nur das Rathaus hielt einigermassen stand. Schon kurz nach der Beschiessung wurden die Häuser wieder aufgebaut. Die Arbeiten wurden unter der Leitung von Willem de Bruyn ausgeführt, der seit 1685 Baumeister der Stadt war, der zum Erneuerer des Hauses der Herzöge und des Goldenen Baumes ernannt wurde und der die Verantwortung für sämtliche Arbeiten, die anderen Mitarbeitern anvertraut wurden, inne hatte.

Man darf wohl sagen, dass diese Werkleute statt Baumeister eher Handwerker waren : Antoon Pastorana war Schreiner und Möbeltischler, Peter Herbosch war Maler und die Steinmetzerei war das Handwerk von Jan van Delen, Cornelis van Nerven und Jan Cosyn.

So versteht man gut, dass die Verzierungen überall besonders hervortraten, reich, üppig, verschwenderisch.

Anhänger reiner Formen (wie Paul Fierens es bemerkte) haben die Fronten bekrittelt, die eher Dekorationen sind als Architektur. Schliesslich kommt es nicht darauf an, ob die ausgeschmückten Details den Anhängern reiner Formen entgegentreten, sofern der Wiederaufbau die Einzelheiten des Barockstils berücksichtigte mit einer Überfülle von Verzierungen, selbst wenn man hier und da gewisse Schwerfälligkeiten feststellen muss. Worauf es schliesslich ankommt, ist das Schaffen eines überschwenglichen, reizvollen Reichtums, dessen Schwerfälligkeiten selbst wie zum Himmel emporschweben.

Das Unlogische dieser Entwicklung geht von dem Leben selbst aus, denn es erscheint hier verwandelt, verviel-

bonne volonté a-t-elle primé sur l'authenticité même, ayant joué sur des données qui étaient plus pédanterie qu'émotion.

Il n'en reste pas moins que, telle qu'elle est, la Grand-Place est un fouillis frémissant de pierres sculptées, chantournées, animées, décorées, dorées, donnant à leur environnement un air de fête, qui est orfévrerie raffinée et musique dansante. C'est grâce à cette ivresse des pierres ornées que l'on oublie que cet ensemble est hétéroclite, s'étalant du xve siècle jusqu'à hier.

Mais l'architecture étalée sur tant d'années encercle une place qui reste le centre de Bruxelles et qui vibre de foule rayonnante et enthousiaste.

C'est cette foule qui étale sa joie d'une libération ou d'une victoire. C'est elle aussi qui fait vibrer de ses farandoles son allégresse au milieu du décor unique qu'offre l'histoire.

L'histoire s'inscrit dans chacune des maisons de la Grand-Place qui, toutes, évoquent un passé et une activité parfois agités. Que l'on songe à la Maison des Brasseurs, qui abrita en 1841 l'*Alliance libérale*, dont les idées politiques imprègnèrent les édiles communaux bruxellois. Que l'on songe aussi à la Maison du Cygne, qui devint le siège des ouvriers allemands – le *Deutsche Arbeiterverein* – où Karl Marx et Friedrich Engels entretinrent une foi révolutionnaire. C'est dans cette maison aussi, qui abrita en 1876 la Chambre du Travail, que se forgea en 1885 le Parti Ouvrier belge. Quant à la Maison du Roi, elle abrita la Société de la Loyauté, qui organisait des concerts et des bals, avant de céder la place au Cercle artistique et littéraire, qui fut le centre de conférences et d'expositions avant d'émigrer à côté du Théâtre du Parc.

Lorsqu'on pense à la Grand-Place, on la voit comme un ensemble dont les détails s'effacent, dont les maisons ne forment qu'un. Certes, il y a l'Hôtel de Ville et, lui faisant face, la Maison du Roi. Mais les maisons ont chacune un nom : le Renard, les Trois Couleurs, le Paon, le Chêne, le Pot d'Étain, le Moulin à Vent, l'Ermitage, la Fortune, le Petit Renard, la Rose, la Bourse, la Colline, la Balance, la Louve, l'Arbre d'or, le Roi d'Espagne, le Cornet, le Cygne, le Pigeon, la Brouette, le Sac, l'Ane, Sainte Barbe... Toutes de 1883 à 1919, ont subi des modifications,

afhankelijk is, vermits het erin wordt herschapen, verveelvuldigd en opgenomen.

De 19de en 20ste eeuwen hebben gemeend ook hun steentje te moeten aanbrengen. Ongetwijfeld heeft de goede wil, stoelend op gegevens die meer naar pedanterie dan naar emotie zwemen, het hierbij gehaald op de authenticiteit.

Niettemin is de Grote Markt zoals ze zich aan ons vertoont, een onrustige warboel van gebeeldhouwde, uitgewerkte, versierde en vergulde stenen, die aan het geheel een feestelijk karakter verlenen, nl. dat van verfijnde goudsmeedkunst en dansende muziek. Dank zij deze roes van versierde stenen vergeet men het onregelmatige karakter van het geheel, dat dagtekent van de 15de eeuw tot gisteren.

Maar deze architectuur van zovele eeuwen omsluit een plein dat het middelpunt blijft van Brussel en dat trilt en leeft met een stralende, enthoesiaste menigte. Het is deze menigte die haar vreugde uit ter gelegenheid van een bevrijding of van een overwinning. Het is deze menigte ook die met rondedansen uiting geeft aan haar vrolijkheid, te midden van het unieke decorum dat de geschiedenis haar heeft nagelaten.

Die geschiedenis heeft haar stempel gedrukt op elk huis van de Grote Markt. Al deze huizen herinneren aan een verleden en aan een soms woelige activiteit. Het huis der Brouwers bv. herbergde in 1841 de *Aliance libérale*, waarvan de politieke ideeën het Brusselse stadsbestuur sterk beïnvloedden. De Zwaan werd de zetel van de Duitse werkliedenbond (*Deutscher Arbeiterverein*), waarin Karl Marx en Friedrich Engels het revolutionaire vuur onderhielden. Dit huis herbergde ook, in 1876, de 'Chambre du Travail' en in 1885 werd er de Belgische Werkliedenpartij gesticht. In het Broodhuis was de 'Société de la Loyauté' ondergebracht die zich bezighield met het organiseren van concerten en bals. Deze kring moest de plaats ruimen voor de 'Cercle artistique et littéraire', een conferentie- en tentoonstellingscentrum, dat later werd ondergebracht naast de Parkschouwburg.

Tracht men zich de Grote Markt in gedachte voor te stellen, dan ziet men ze als een geheel, waarvan de details vervagen, waarvan de huizen één groot complex vormen. Wel is er het Stadhuis en ertegenover, het Broodhuis. Maar de huizen hebben alle een naam : De Vos, De drie Kleuren, De Pauw, De Eik, De tinnen Pot, De Windmolen, De Kluis, De Faun, Het Vosje, De

or a victory, or to revel in festivities on a unique setting provided by the centuries.

History is inscribed in the buildings of the Grand-Place. Each one of them evokes the past, and recalls activities some of which have been dramatic. The "Maison des Brasseurs„ housed, in 1841, the *Alliance libérale*, whose political concepts put a mark on the city's magistrates.

The "Maison du Cygne„ was the seat of the German labour movement, the *Deutscher Arbeiterverein*, where Karl Marx and Friedrich Engels came to preach the gospel of revolution. The same building, in 1876, housed the "Chambre du Travail„, which led to the creation, in 1885, of the Belgian Labour Party.

The "Maison du Roi„ was the seat of the "Société de la Loyauté„, a club for organizing concerts and balls, and later of the "Cercle artistique et littéraire„, a centre for conferences and exhibitions which afterwards was to move next to the "Théâtre du Parc".

When one thinks of the Grand-Place, one sees it as a whole : details recede, and the buildings merge into a single picture. Its main features, facing each other, are the city hall and the "Maison du Roi„. Each house, however, has a name of its own : Le Renard (the fox), Les trois Couleurs (the three colours), Le Paon (the peacock), Le Chêne (the oak), Le Pot d'étain (the pewter pot), Le Moulin à vent (the windmill), L'Ermitage (the ermitage), La fortune (fortune), Le petit Renard (the small fox), La Rose (the rose), La Bourse (the purse), La Colline (the hill), La Balance (the scales), La Louve (the she-wolf), L'Arbre d'Or (the golden tree), Le Roi d'Espagne (the king of Spain), Le Cornet (the small horn), Le Cygne (the swan), La Brouette (the wheel-barrow), Le Sac (the sack), L'Ane (the donkey), Sainte-Barbe (St. Barbara). All of them have undergone modificatîons between 1883 and 1919, in an endeavour to give them their previous outlook, from 1729 to 1749, as shown in watercolour drawing by F.I. Derons.

The Grand-Place has frequently been used as a stage. It was decorated in a highly festive manner for princely "joyeuses entrées„ (intronisations) by, e.g. archduke Ernest, governor general of the Netherlands, and his consort Jeanne, daughter of Charles the Fifth (1594). Painters, however, have recorded many other

facht und verewigt. Das 19. und 20. Jahrhundert glaubte nun hier eine Ordnung herstellen zu müssen im Sinne der Geschichte und der Archäologie. Ohne Zweifel obsiegte der gute Wille über die Echtheit, indem man sich mehr pedantisch als gefühlmässig über die Gegebenheiten hinwegsetzte.

Trotzdem ist der Grosse Markt, wie er sich uns heute zeigt, ein unruhiger Wirrwar von behauenen, bearbeiteten, verzierten und vergoldeten Steinen, die dem Ganzen einen festlichen Charakter verleihen, nämlich den einer verfeinerten Goldschmiedekunst und schwingender Musik. Dank diesem Rausch verzierter Steine vergisst man den unregelmässigen Charakter des Ganzen, das vom 15. Jahrhundert bis gestern reicht. Doch diese Architektur vieler Jahrhunderte umschliesst einen Platz, der Mittelpunkt von Brüssel bleibt, der vibriert und lebt mit einer strahlenden und begeisterten Volksmasse. Es ist dieses Volk, das seine Freude anlässlich einer Befreiung oder eines Sieges äussert. Es ist dieses Volk auch, das mit Rundtänzen seine Fröhlichkeit ausdrückt inmitten der einzigartigen Dekoration, die die Geschichte ihm hinterlassen hat.

Die Geschichte hat jedem Haus des Grossen Marktes ihren Stempel aufgedrückt. Sie erinnern alle an eine Vergangenheit und an manchmal recht unruhige Ereignisse. Das Haus der Brauer z.B. beherbergte im Jahre 1841 die *Alliance libérale*, deren politische Ideen die Brüsseler Stadtverwaltung stark beeinflusste. Der Schwan wurde der Sitz des Deutschen Arbeitervereins, wo Karl Marx und Friedrich Engels das revolutionäre Feuer schürten. In diesem Haus befand sich 1876 auch die »Chambre du Travail« und 1885 wurde hier die belgische Arbeiterpartei gegründet.

Im Broodhuis war die »Société de la Loyauté« untergebracht, die sich mit der Veranstaltung von Bällen und Konzerten beschäftigte. Diese Gesellschaft musste dem »Cercle artistique et littéraire« Platz machen, einem Konferenz- und Ausstellungszentrum, das später neben dem Théâtre du Parc untergebracht wurde.

Versucht man sich den Grossen Markt in Gedanken vorzustellen, so sieht man ihn als Ganzes, bei dem die Einzelheiten verwischt sind und die Häuser einen grossen Komplex bilden. Wohl sieht man das Rathaus und sein Gegenüber das Broodhuis. Aber die Häuser haben alle einen Namen Der Fuchs, Die drei Farben, Der Pfau, Die Eiche, Die zinnerne Kanne, Die Windmühle, Die Klau-

qui devaient leur rappeler leur visage d'antan, celui de 1729 à 1749, tel que le montrent les dessins aquarellés de F.I. Derons.

La Grand-Place devint souvent une salle de spectacle. Que l'on songe à l'ornementation d'apparat dont elle fut l'objet pour les joyeuses entrées princières, notamment en 1594, celle de l'archiduc Ernest, gouverneur général des Pays-Bas, et de sa femme Jeanne, fille de Charles Quint. Mais les peintres ont gardé bien d'autres scènes de ce genre : processions, défilés de serments, «ommeganchs», promenades des géants, du Cheval Bayard... Quant aux visites terminées par un séjour au balcon de l'Hôtel de Ville devant une foule parfois en délire, elles sont innombrables à l'époque contemporaine : personnalités royales ou impériales, chefs d'État, hommes marqués par la gloire fugace d'un exploit sportif ou autre dont le livre d'or de la ville garde le souvenir. La Grand-Place a préservé des gloires dont la renommée a sonné dans l'allégresse d'un moment, d'un élan ou d'une victoire. Mais elle a été présente aussi pour accueillir, et en même temps recueillir la gloire humaine, dans le coude à coude de l'émotion ou de l'enthousiasme. Réceptacle de tous les élans humains, elle est un gigantesque et précieux encensoir, qui rappelle hier et avant-hier dans les grandeurs qui, demain, nous préserveront un cadre de cette qualité et de cette splendeur.

Roos, De Beurs, De Heuvel, De Weegschaal, De Wolvin, De Gulden Boom, De Koning van Spanje, De Hoorn, De Zwaan, De Duif, De Kruiwagen, De Zak, De Ezel, Sint-Barbara. Alle hebben ze, van 1883 tot 1919, veranderingen ondergaan die hen het oude uitzicht moesten teruggeven, datgene namelijk uit de jaren 1729 tot 1749, zoals we het terugvinden in de akwarellen van F.I. Derons.

De Grote Markt werd vaak een toneelpodium. Men denke slechts aan de luisterrijke versiering waarmee ze getooid werd bij de blijde intocht van prinsen en landvoogden, o.m. in 1594 deze van aartshertog Ernst, gouverneur-generaal van de Lage Landen, en van zijn vrouw Johanna, de dochter van Keizer Karel. De schilders hebben nog heel wat meer taferelen van dat soort geconterfeit : processies, optochten van schuttersgilden, van de reuzen, van het Ros Beiaart, « Ommeganchs »...

Het aantal bezoeken die besloten werden op het balkon van het Stadhuis en voor een soms uitgelaten menigte, is niet meer te tellen : koninklijke of keizerlijke personaliteiten, staatshoofden, mensen die de vluchtige glorie van een sportieve of andere gebeurtenis hebben mogen smaken en waaraan het gulden boek van de stad de herinnering bewaart. De Grote Markt bewaart ook de herinnering aan glorierijke gebeurtenissen en personen, waarvan de roem opbloeide op een ogenblik van algemene vreugde, of het gevolg was van een kortstondige opwelling of van een overwinning.

Mengvat van allerlei menselijke opwellingen, is de Grote Markt ook een reusachtig en kostbaar wierookvat, dat de herinnering bewaart aan gisteren en eergisteren in waarden die deze kwaliteit en deze pracht voor de toekomst verzekeren.

festive displays : processions on the occasion of taking the oath in guilds, ommeganchs, giants'outings, the "Cheval Bayard,,... In present days, it has witnessed numerous apparitions on the balcony of the city hall, before sometimes loudly cheerîng crowds, of emperors, kings, princes, heads of states, or sport champions at the height of their ephemeral glory. All their signatures are on record in the city's Visitors Book.

The Grand-Place has preserved the memory of moments of glory after an upsurge, or a victory, evoked in an atmosphere of shared emotion, or enthusiasm. It has been the receptacle of many human aspirations, a sort of gigantic and precious censer, and a witness of greatness in times gone-by. It challenges us, in our own day, to produce settings of comparable quality and splendour.

se, Das Glück, Das Füchslein, Die Rose, Die Börse, Der Hügel, Die Waage, Die Wölfin, Der Goldene Baum, Der König von Spanien, Das Horn, Der Sack, Der Esel, Die Hl. Barbara.

Von 1883 bis 1919 wurden an ihnen Veränderungen vorgenommen, die ihnen das Aussehen aus den Jahren 1729 bis 1749 wiedergeben sollten, so wie wir es erkennen können aus den Aquarellen von F.I. Derons.

Der Grosse Markt wurde oft als Bühne verwendet. Man denke nur an die prachtvolle Ausschmückung beim fröhlichen Einzug von Fürsten und Statthaltern, insbesondere an den im Jahre 1594 von Erzherzog Ernst, Generalgouverneur der Niederlande, und seiner Frau Johanna, Tochter Kaiser Karls. Die Maler haben noch viele solcher Szenen festgehalten : Prozessionen, Aufzüge von Schützengilden, von Riesen, vom Ross Beiaard, von »Ommeganchs«.

Die vielen Besuche, die beendet wurden mit dem Hintreten auf den Balkon des Rathauses vor der manchmal recht ausgelassenen Menge, sind nicht zu zählen : Könige und Kaiser, Staatsoberhäupter, Menschen, die den vergänglichen Ruhm eines Sportereignisses gekostet haben, von denen das Goldene Buch der Stadt zu berichten weiss. Der Grosse Markt bewahrt die Erinnerung an glorreiche Ereignisse und Personen, deren Ruhm aufblühte in einem Augenblick allgemeiner Freude oder als Folge einer vorübergehenden Begeisterung oder eines Sieges.

Als Schauplatz mancher menschlichen Begeisterung und als riesiges Weihrauchgefäss wird der Grosse Markt als Hüter der Erinnerung an gestern und vorgestern auch für künftige Ereignisse als glänzender Rahmen dienen.

Andrée Brunard

LA GRAND-PLACE JOYAU DE LA CAPITALE

Dès la fin du XIe siècle et surtout dans le courant du XIIe siècle, les conditions de l'économie générale, dans l'Europe occidentale, exercèrent une influence prépondérante sur le développement de l'humble bourgade qui venait de prendre naissance autour du château de l'île Saint-Géry...

Bruxelles, étape de la fameuse route marchande reliant Bruges à Cologne, deviendra un centre économique important. C'est le long de cette artère vitale, à proximité du castrum de l'île Saint-Géry, que se formera le premier marché... origine de la Grand-Place dont l'histoire se confond, en quelque sorte, avec celle de la ville même.

C'est aussi autour de ce marché primitif ou « nedermerckt », établi en partie sur l'ancien emplacement d'un vaste marécage qui s'étendait depuis l'Hôtel de Ville jusqu'au Marché aux Herbes, que s'érigèrent les premières demeures.

Le marché premier était loin d'avoir l'aspect régulier actuel. Comme toutes les places du Moyen-Age, il s'est formé spontanément, sans plan préconçu, au gré des besoins successifs, des nécessités commerciales.

Les constructions sont irrégulièrement disposées : les unes avancent, encombrant parfois même la voie publique; d'autres sont situées en retrait, au fond d'une cour ou entourées d'un jardin. Toutes sont séparées par une allée, afin de diminuer les risques d'incendie, les maisons étant faites en bois; cependant quelques-unes sont en pierre (les « steenen ») et appartiennent aux familles patriciennes.

Dès le XIIIe siècle, la puissance économique de notre cité s'affirmant, le Magistrat veille à l'unification et à la régularisation de la Grand-Place. Après plusieurs siècles de remaniements, elle atteint, au XVIIe siècle, sa forme symétrique actuelle.

Le XVe siècle verra l'apogée de la puissance politique et, aussi, économique de la capitale; ce sera une période de grande prospérité. Cette situation privilégiée incitera l'administration communale à embellir la place. En 1400, la construction d'un Hôtel de Ville est décidée et celui-ci deviendra le plus grand et le plus

DE GROTE MARKT SIERAAD VAN DE HOOFDSTAD

Bij het einde van de 11de en vooral gedurende de 12de eeuw, oefende de algemene economische toestand van het toenmalige West-Europa een belangrijke invloed uit op de ontwikkeling van de eenvoudige nederzetting die zich, omheen het kasteel van het Sint-Gorikseiland, had gevormd.

Brussel, etappe op de grote handelsweg die Brugge met Keulen verbond, zou een belangrijk economisch centrum worden. Langsheen deze vitale weg, en in de nabijheid van het castrum van het Sint-Gorikseiland, ontstond de eerste markt... voorloper van de huidige Grote Markt, waarvan de geschiedenis in zekere zin eng verbonden is met deze van de stad zelf. Omheen de primitieve markt of 'nedermerckt', gedeeltelijk gelegen op wat eens een groot moeras was dat zich van het Stadhuis tot aan de Grasmarkt uitstrekte, verrezen de eerste gebouwen.

Die eerste markt had nog lang niet het regelmatige uitzicht van de huidige. Zoals alle middeleeuwse pleinen werd ze spontaan gevormd, volgens de noden van het ogenblik en de eisen van de toenmalige handel.

De gebouwen stonden er nogal onregelmatig bij : sommige sprongen uit op de rooilijn en vormden aldus een hindernis op de openbare weg, andere waren meer van de straat afgelegen, achteraan een koer of omringd door een tuin. Om het brandrisico te verminderen, waren de uit hout opgetrokken huizen van elkaar gescheiden door een gang. Enkele huizen, toebehorend aan patriciërsfamilies, waren in steen gebouwd. Het waren de zogenoemde 'Steenen'.

Vanaf de 13de eeuw, en terwijl de economische macht van de stad steeds duidelijker werd, stelde de magistraat alles in het werk voor de eenmaking en de regularisering van de Grote Markt. Na vele eeuwen van verbouwingen verkreeg deze, tijdens de 17de eeuw, haar huidige uitzicht.

Gedurende de 15de eeuw beleefde de stad niet alleen haar hoogste politieke, maar ook haar grootste economische bloei; het was een periode van grote voorspoed. Dank zij de ongemeen gunstige omstandigheden, nam het stadsbestuur het besluit de Grote Markt te verfraaien. In 1400 werd besloten tot het bouwen

THE GRAND-PLACE HEART OF THE CITY

From the 11th century onward, and even more so in the 12th century overall economic conditions in Western Europe had a major impact on the development of the modest borough that began to expand around the castle on Saint Géry island.

Brussels, a relay on the well-known trade road between Bruges and Cologne, was to become an important economic centre. On this vital road the first market will arise near the castrum on Saint Géry island.

This marks the very beginnings of the Grand-Place, whose history is intertwined with the history of the city.

The first houses were built around a primitive market – called "nedermerckt" – located, in part, on the old site of a vast swamp that ran from the city hall to the "Marché aux Herbes".

The first market did not have the present, regular features. Like all public squares in the Middle Ages, it was a spontaneous development without any basic concept, that grew according to succesive needs and trade requirements.

Buildings are disposed in a haphazard fashion. Some are protruding on the pavement; others are located at the back of a court or garden. All buildings are detached, in order to reduce fire risks, for they were made of wood. A few of them, however, are built with stone ("steenen"). They belong to patrician families.

From the 13th century onward, and as the city's prosperity increases, the city's administration will strive towards unification in the Grand-Place's lay-out. After several transformations it acquired its present symmetrical features.

The city's political and economic power is at its height in the 15th century, – a period of great prosperity.

The administration wants to embellish the market place. In 1400

DER GROSSE MARKT KLEINOD DER HAUPTSTADT

Ende des 11., aber besonders während des 12. Jahrhunderts hatte der allgemeine wirtschaftliche Zustand des damaligen Westeuropas einen grossen Einfluss auf die Entwicklung der kleinen Siedlung, die sich um das Kastell der Hl. Goriksinsel gebildet hatte.

Brüssel, Rastplatz auf der grossen Handelsroute, die Brügge mit Köln verband, sollte ein bedeutendes ökonomisches Zentrum werden. An diesem wichtigen Weg, in der Nähe des Zentrums der Goriksinsel, entstand der erste Marktplatz... Vorläufer des heutigen Grossen Marktes, dessen Geschichte in einem gewissen Sinn eng mit der Stadt selbst verbunden ist.

Um diesen ersten, primitiven Markt oder »Nedermerckt«, der teilweise auf einem trockengelegten Moor lag, welches sich vom Rathaus bis zum Marché aux Herbes erstreckte, entstanden die ersten Bauten.

Der erste Markplatz hatte noch lange nicht das regelmässige Aussehen des heutigen. Wie alle mittelalterlichen Plätze wurde er ohne feste Planung, nach den Bedürfnissen des Augenblicks und den Anforderungen des damaligen Handels angelegt. Die Gebäude waren unregelmässig, einige sprangen über die Linie der Strassen heraus und bildeten so ein Hindernis auf dem öffentlichen Weg, andere lagen mehr von der Strasse ab, hinter einem Hof oder umringt von einem Garten. Um die Brandgefahr zu vermindern, waren die hölzernen Häuser von einander durch Gänge getrennt. Einige der Häuser, die Patriziern gehörten, waren aus Stein und wurden die »Steenen« genannt.

Im 13. Jahrhundert, während die wirtschaftliche Macht der Stadt stets wuchs, erstrebten die Stadtväter eine Neugestaltung des Grossen Marktes. Nach jahrhundertelangen Änderungen bekam er schliesslich im 17. Jahrhundert die heutige symmetrische Form.

Im 15. Jahrhundert hatte die Stadt nicht nur ihre höchste politische, sondern auch ihre grösste wirtschaftliche Blütezeit; es war eine Periode von grossem Wohlstand. In diesen günstigen Zeiten wollte die Magistratur, den Grossen Markt verschönern. Im Jahre 1400 beschloss man den Bau eines Rathauses, das das grösste und prächtigste Gebäude unserer mittelalterlichen Städte wer-

somptueux des édifices de nos villes médiévales.

L'emplacement fut choisi devant la fameuse Halle aux Draps, du XIVe siècle témoin de l'importante industrie drapière bruxelloise et qui fut l'un des facteurs prépondérants de la prospérité de la ville.

Malheureusement, le travail acharné, l'énergie, l'ingéniosité aussi, de tous ceux qui avaient collaboré à cette œuvre de l'édification de la Grand-Place et de son Hôtel de Ville en particulier, devaient trouver un lendemain désastreux, pitoyable.

En effet, à la fin du XVIIe siècle, en 1695, notre forum fut la triste victime du terrible bombardement par le maréchal de Villeroy, effectué sur les ordres de Louis XIV. La tour de l'Hôtel de Ville, point de repère idéal, fut choisie pour permettre aux batteries d'atteindre, à coup sûr, le centre de Bruxelles et, tout spécialement, la Grand-Place.

Les dégâts furent très importants, la plupart des maisons en ruine. La Maison du Roi et l'Hôtel de Ville eurent également beaucoup à souffrir. De ce dernier, seuls les gros murs et la tour furent épargnés. Toutes les archives furent irrémédiablement perdues – conséquence des plus grave pour l'histoire de notre ville dont aucun document, ou peu s'en faut, ne subsiste, pouvant nous renseigner sur les événements survenus avant ce drame.

Conséquence malheureuse aussi, du point de vue artistique, par la perte, la destruction de sa décoration intérieure et, notamment, des célèbres peintures de Roger van der Weyden qui ornaient les murs de la grande salle appelée, aujourd'hui salle gothique.

Mais, ce désastre paraît avoir ravivé davantage encore, s'il est possible, l'ardeur et le courage de tous ! Et, suivant le caractère propre à notre race, il n'aura fallu que deux ou trois ans pour que la Grand-Place fût ressuscitée, toute parée d'or et de sculptures, d'une incomparable beauté, faisant l'admiration générale.

Cette « métamorphose », qui fut un véritable tour de force, put être atteinte grâce au courage et à l'énergie du Magistrat, des corporations, de quelques particuliers aussi et sous la direction générale de Guillaume De Bıuyn, architecte de la ville.

Cependant, plus tard, nous sommes au XIXe siècle, la plupart des immeubles se trouvaient dans un état de délabrement provoqué par le temps et surtout par l'œuvre des-

van een stadhuis, dat het grootste en prachtigste gebouw van onze middeleeuwse steden moest worden.

Het zou worden opgericht voor de beroemde lakenhalle, dagtekend uit de 14de eeuw en getuige van de belangrijke Brusselse lakenindustrie, een der bijzonderste factoren van de Brusselse welvaart.

Helaas was het hardnekkige werk, de energie en ook de vindingrijkheid van al diegenen die aan de opbouw van de Grote Markt en van het Stadhuis hadden meegewerkt, een rampzalig lot beschoren.

Bij het einde van de 17de eeuw immers, meer bepaald in 1695, werd ons forum het trieste slachtoffer van het niets ontziende bombardement dat maarschalk de Villeroy, op bevel van Lodewijk XIV, op Brussel losliet. De toren van het Stadhuis vormde een ideaal mikpunt, zodat de op hem gerichte kanonnen het centrum van Brussel, en meer bepaald de Grote Markt met zekerheid konden treffen.

De aangerichte schade was aanzienlijk, de meeste huizen lagen in puin. Ook het Broodhuis en het Stadhuis hadden heel wat te lijden. Van dit laatste bleven de dikke muren en de toren overeind. Het archief werd volledig vernield, zodat practisch geen enkel document bewaard bleef dat ons enige inlichting zou kunnen verschaffen omtrent de gebeurtenissen die vóór het bombardement plaats grepen.

Nog een ongelukkig gevolg, van artistiek standpunt uit gezien, was het verlies van de binnenversiering van het Stadhuis, o.m. van de beroemde schilderingen van Rogier van der Weyden die de muren van de grote zaal, thans de gotische zaal genoemd, bedekten.

Eigenaardig genoeg, schijnt de ramp de werkkracht en de moed van allen die met het lot van de stad begaan waren, geenszins te hebben aangetast, eerder nog te hebben verhoogd. Binnen het tijdsverloop van twee, drie jaren, herrees de Grote Markt uit het puin, ditmaal geheel versierd met beeldhouwwerk, schitterend van het goud, onvergelijkelijk schoon en door eenieder bewonderd.

Deze metamorfose, een werkelijke krachttoer, werd alleen bekomen dank zij de moed en de energie van het stadsbestuur, van de gilden en van enkele particulieren, onder de algemene leiding van Willem De Bruyn, architect van de stad.

Niettemin bevonden zich later, d.w.z. tijdens de 19de eeuw, de meeste dezer gebouwen in een lamentabele toestand, deels als gevolg van de tand des tijds, maar ook en vooral

the construction of a city hall is decided : it will be the largest and most sumptuous building in medieval city architecture.

The spot chosen was the location facing the well-known, 14th century "Halle aux Draps" the trading centre of Brussels cloth industry, which was a major source of prosperity.

The result of all the hard work, the tenacity and inventiveness of those who had contributed to the building of the Grand-Place and its city hall was to undergo a disastrous fate.

Towards the end of the 17th century – in 1695 – the forum was the target of a frightful bombing ordered by Marshal de Villeroy, at the command of Louis XIV. The spire of the city hall offered an ideal target for the destruction of the centre of Brussels, especially its Grands-Place.

Damage was considerable; most houses stood in ruins. Both the "Maison du Roi" and the city hall were severely hit. From the latter, only the main walls and the tower were spared. All the archives were irretrievably lost. This was a major loss, since it meant the practical disappearance of all documents pertaining tot the history of Brussels before the disaster.

Equally deplorable was the loss of the hall's interior decoration, i.a. the paintings by Roger van der Weyden in the great hall, now being called "salle gothique".

The disaster, however, acted as a spurn on all concerned. In a characteristic Belgian way, they rebuilt, within a couple of years, a new Grand-Place of matchless beauty, with gilded facades and a wealth of sculptures.

This "metamorphosis", a true "tour de force", was achieved by the determination of the city fathers, the guilds, a few private individuals, under the overall management of Guillaume De Bruyn, the city's architect.

Later on – in the 19th century – most buildings were in very poor repair after the passage of time, and destructions by the French "sans-

den sollte. Es sollte vor der berühmten Tuchhalle errichtet werden, welche aus dem 14. Jahrhundert stammte, Zeuge der wichtigen Brüsseler Tuchweberei, massgebender Faktor des Wohlstands der Stadt.

Leider war der hartnäckigen Arbeit derer, die so zielbewusst, ausdauernd und schöpferisch am Aufbau des Grossen Marktes schafften, ein dramatisches Schicksal beschert.

Am Ende des 17. Jahrhunderts, im Jahre 1695, wurde unser »Forum« Opfer einer unbarmherzigen Beschiessung durch den Marschall de Villeroy, auf Befehl Ludwig XIV. Der Turm des Rathauses war ein ideales Ziel, sodass die auf ihn gerichteten Kanonen das Zentrum Brüssels und damit den Grossen Markt mit Sicherheit treffen konnten. Die Verwüstung war bedeutend, die meisten Häuser nur noch Ruinen. Auch das »Broodhuis« und das Rathaus erlitten grossen Schaden. Vom letzteren blieben nur noch die dicken Mauern und der Turm stehen. Alle Archive gingen verloren, was für die Geschichte unserer Stadt ein grosser Verlust war, denn praktisch blieb fast kein Dokument erhalten, das uns über die Ereignisse vor der Beschiessung Auskunft geben konnte. Die Vernichtung der Innenausstattung, insbesondere die berühmten Wandmalereien von Rogier von der Weyden, die die Mauern des grossen Saals schmückten, der jetzt der gotische Saal genannt wird, war ein weiterer unersetzlichen Verlust vom künstlerischen Standpunkt aus gesehen.

Merkwürdigerweise schien die Katastrophe die Arbeitskraft und den Mut derer, die sich das Schicksal der Stadt zu Herzen nahmen, keinesfalls verringert zu haben, im Gegenteil, sie wurde gestärkt. Innerhalb von zwei, drei Jahren stieg der Grosse Markt mit neuen Bauten aus dem Schutt empor, diesmal geschmückt mit Bildhauerarbeiten, schimmernd in ihrer Goldverzierung, unvergesslich schön, zur Bewunderung aller.

Diese Metamorphose, eine erstaunliche Leistung, glückte allein durch den Mut und die Energie der Stadtväter, der Zünfte und verschiedener Privatpersonen, unter der allgemeinen Leitung des Stadtbaumeisters, Willem de Bruyn.

Später im 19. Jahrhundert waren die meisten Gebäude dem Verfall nahe, nicht allein durch das Alter, sondern auch durch die Vernichtungssucht der Sans-culotten. Es wurde beschlossen eine völlige Restaurierung vorzunehmen, unter der begeisterten Leitung des grossen Kunstliebhabers und Bürgermeisters Charles Buls.

tructrice des sans-culottes. Il fut décidé de procéder à une restauration complète qui fut réalisée sous l'administration éclairée du bourgmestre Charles Buls, grand ami des arts. Ce travail fut inspiré d'éléments anciens, notamment les dessins originaux de Derons, conservés au Musée communal et reproduisant fidèlement les constructions du XVIIIe siècle.

Et, c'est ainsi qu'il nous est donné de pouvoir contempler encore aujourd'hui, cet admirable chef-d'œuvre qui fait l'orgueil de la Nation.

La Grand-Place, cœur vibrant de la cité, est unique, tant par les édifices qui l'encadrent que par les souvenirs, tragiques ou joyeux, qu'elle nous rappelle. Témoin certain de notre histoire, elle fut, de tout temps, décrite par les poètes et les peintres.

Lieu de réunions publiques, d'assemblées politiques et où l'on nommait les échevins, la Grand-Place avait aussi le privilège d'avoir été choisie comme lieu de réception des rois et des princes; c'est elle également qui vit l'inauguration de souverains.

Elle fut aussi le théâtre d'émeutes et de révolutions : émeute de 1306, mouvement révolutionnaire de 1421, manifestations de la révolution brabançonne, champ d'action des sans-culottes, révolution de 1830.

Lieu de justice également, elle fut le témoin notamment de l'exécution, le 5 juin 1568, par ordre du duc d'Albe, des comtes d'Egmont et de Hornes, victimes de la tyrannie espagnole et, le 19 septembre 1719, de François Anneessens, défenseur des libertés communales.

La Grand-Place fut le rendez-vous des marchands et paysans qui apportaient, au marché en plein air, les produits de leur industrie ou les récoltes de leurs terres.

Cadre unique, enfin, pour les réjouissances populaires, les processions, les tournois, les ommegangs, les représentations théâtrales.

Si, par son ensemble, la Grand-Place de Bruxelles force l'admiration du monde, elle charme les connaisseurs, les esthètes, par les détails à la fois savants et luxueux de la décoration de ses maisons.

Centre artistique de tout premier ordre et qui réunit, en une harmonieuse unité, les éléments caractéristiques des différents styles des XVe, XVIe, XVIIe et XVIIIe siècles, la Grand-Place se compose essentiellement de l'Hôtel de Ville, de la Maison du Roi et des maisons des corporations.

ten gevolge van het vernieldende werk der sans-culotten.

Er werd besloten tot een volledige restaurering, die werd verwezenlijkt onder de bezielende leiding van de grote kunstliefhebber en burgemeester van Brussel, Karel Buls. De herstelling gebeurde op basis van oudere documenten, o.m. naar originele tekeningen van Derons, bewaard in het Stedelijk Museum, en die een getrouwe weergave boden van de 18de-eeuwse toestand.

Hieraan hebben wij het trouwens te danken, dat wij dit fraaie kunstwerk, de trots van het land, nog steeds in zijn volle glorie kunnen bewonderen.

De Grote Markt, het hart van de stad, is een uniek kunstwerk, zowel om wille van haar gebouwen, als om de nu eens tragische, dan weer vrolijke herinneringen die zij oproept. Door schrijvers en kunstenaars werd ze, door de tijden heen, als stoere getuige van onze geschiedenis bezongen en beschreven.

Als trefpunt van openbare samenkomsten, van politieke vergaderingen als plaats ook waar de schepenen werden benoemd, bezat de Grote Markt ook het voorrecht koningen en prinsen te ontvangen. Binnen haar muren, werden ook onze vorsten feestelijk gehuldigd.

De Grote Markt is ook het toneel geweest van opstanden en revoluties: de opstand van 1306; de revolutionaire beweging van 1421; de manifestaties van de Brabantse revolutie; actieveld van de sans-culotten; revolutie van 1830. Als plaats van rechtspleging was ze o.m. getuige van de berechting van de graven van Egmont en van Hoorn, op 5 juni 1568 onthoofd op bevel van de hertog van Alva, en van Frans Anneessens, verdediger van de gemeentelijke rechten, op 19 september 1719.

De Grote Markt was de verzamelplaats van handelaars en boeren die, op deze openluchtmarkt hun koopwaar kwamen aanbieden.

Tenslotte vormde zij ook nog het unieke kader voor volksfeesten, processies, toernooien, ommegangen en toneelopvoeringen.

Als 'Gesamtkunstwerk' de bewondering afdwingend van allen, bezit de Grote Markt, voor kenners en estheten, dank zij de zowel kunstige als luxueuze details van haar gevelversiering, bovendien nog de faam van een uniek kunstwerk. Als artistiek centrum, dat in een harmonieuze eenheid de karakteristieke elementen van de diverse stijlen van de 15de, de 16de, de 17de en de 18de eeuwen verenigt, wordt de

culottes". The decision was made to initiate a complete restoration, under the wise management of burgomaster Charles Buls, a great patron of the arts. Ancient documents, such as original drawings by Derons – now in the city's museum – giving accurate reproductions of 18th century buildings, were used in this work of restoration.

This enables us today to admire or magnificent achievement, of which the country is justly proud.

The Grand-Place is truly the heart of the city. It is a unique architectural setting, and a memento of many, happy or tragic, events in the past. It has been described again and again by painters and poets, and remains the chief witness of our history.

It provided the setting for political meetings during which aldermen were elected. It also enjoyed the privilege of receiving Kings and Princes, and of welcoming sovereigns.

It witnessed uprisings and revolutions : a revolt in 1306, a revolutionary movement in 1421, the theatre of the Brabant insurrection, destructions by the "sans-culottes", the Belgian revolution of 1830. It was also a place of execution where, i.a., the earls of Egmont and Hornes were beheaded on orders from the Duke of Alva, the exponent of Spanish tyranny, and where François Anneessens, the defender of civic rights, met his death on September 19, 1719.

The Grand-Place used to be the spot where traders and farmers brought their goods and products, offering them for sale on an open market.

It also offered a unique setting for popular festivities, processions, tournaments, "ommegangs" and theatrical performances.

Everybody admires the Grand-Place as a whole. It is a delight to connoisseurs and art lovers, because of the sumptuous and wealthy decoration of its buildings.

A true art centre, where the main features of the various styles – 15th, 16th, 17th, and 18th centuries – are harmoniously blended, the Grand-Place consists mainly of the city hall, the "Maison du Roi", and the guilds'houses.

Zur Wiederherstellung nahm man alte Dokumente als Vorbild, insbesondere Originalzeichnungen von Derons, die noch heute im Städtischen Museum aufbewahrt werden als eine getreue Wiedergabe der Bauten des 18. Jahrhunderts.

Und somit können wir noch heute dieses schöne Kunstwerk bewundern, das der Stolz unseres Landes darstellt.

Der Grosse Markt, Herz unserer Stadt, ist ein einmaliges Meisterwerk, sowohl wegen seiner Gebäude, als auch der tragischen oder fröhlichen Erinnerungen wegen, die hierdurch in uns wachgerufen werden. Als unumstrittener Zeuge unserer Geschichte wurde er zu allen Zeiten von Dichtern und Künstlern besungen und beschrieben. Als Treffpunkt für öffentliche Zusammenkünfte, für politische Versammlungen wurden hier auch die Ratsleute ernannt. Ausserden galt der Grosse Markt als bevorzugter Empfangsplatz für Könige und Fürsten. Auch unseren Herrschern wurde hier gehuldigt.

Er war auch Schauplatz von Aufständen und Revolutionen : der Aufstand von 1306, die revolutionäre Bewegung von 1421, Kundgebungsort der brabantischen Revolution und schliesslich Opfer der Zerstörungswut der Sans-culotten und Revolution von 1830.

Der Grosse Markt diente auch als Richtplatz und war u.a. Zeuge der auf Befehl des Herzogs von Alba am 5. Juni 1568 hingerichteten Grafen von Egmont und von Hoorn, Opfer der spanischen Tyrannei, sowie der Hinrichtung am 19. September 1719 von Frans Anneessens, Verteidiger der kommunalen Rechte.

Der Grosse Markt war Treffpunkt der Händler und Bauern, die hier ihre Waren zum Verkauf anboten.

Schliesslich bot der Grosse Markt auch noch einen einzigartigen Rahmen für Volksfeste, Prozessionen, Turniere, »Ommegangen« und Theaterspiele.

Weckt der Grosse Markt als Gesamtkunstwerk die Bewunderung von allen, besitzt er ausserdem noch für Kenner und Ästheten den Ruf eines einmaligen Kunstwerks und zwar durch die ebenso künstlerischen wie luxuriösen Details seiner Frontverzierungen.

Der Grosse Markt mit seinem Rathaus, dem »Broodhuis« und den Zünfthäusern bildet ein aussergewöhnliches künstlerisches Zentrum, welches in harmonischer Einheit die besonderen Kennzeichen der verschiedenen Stile des 15., 16., 17. und 18. Jahrhunderts vereinigt.

Nous examinerons successivement et succinctement l'historique de ces différentes constructions.

L'HÔTEL DE VILLE

Ce monument dont la sobre ordonnance conditionne et coordonne l'ensemble de la place, a été commencé, comme nous l'avons vu, au début du xve siècle.

Vaste et sévère bâtiment gothique, centre de l'administration de la cité, bastion de nos libertés, dans lequel l'histoire de la commune s'est concentrée, cet édifice constitue l'un des plus beaux joyaux de l'architecture civile du siècle. Il est aussi l'un des plus anciens où l'emploi du style flamboyant ait été appliqué.

D'une étonnante harmonie, nonobstant les différentes périodes de constructions, s'il est intéressant par son architecture, il l'est davantage encore par les sculptures qui le décorent, caractéristiques de notre art brabançon du xve siècle.

L'aile gauche de l'Hôtel de Ville, commencée par la pose de la première pierre, en 1402, se terminait, à droite, par une tour dénommée beffroi. Mais, il apparaît que ce beffroi existait déjà, si l'on s'en rapporte à ces documents communaux datant de 1405. Il semble aussi que l'architecte, de ce qui existait ainsi comme plan primitif, fut Jacques Van Thienen.

Cette aile fut édifiée sur la partie de terrain occupée, auparavant, par des constructions de fortune élevées par la ville aux abords ou dans les environs de deux «steenen», expropriés et appelés respectivement «De Meerte» et «Den Wilden Ever». La première maison se trouvait à l'endroit où l'on peut voir de nos jours, la tourelle renfermant l'horloge. Ces anciennes constructions furent occupées par les services de la ville et ce jusqu'au moment où l'édification de cette aile, allait leur procurer des locaux plus vastes et infiniment plus convenables.

Mais, celle-ci ne suffit pas. Il fallait compter, en effet, avec l'extension du commerce et de l'industrie, aussi avec la multiplicité des services administratifs qui devait logiquement découler d'une situation de prospérité nouvelle.

Et, c'est ainsi qu'une trentaine d'années plus tard, voulant faire plus grand et plus beau aussi, le Magistrat décida l'expropriation d'un certain nombre de maisons situées çà et là du quadrilataire

Grote Markt hoofdzakelijk gevormd door het Stadhuis, het Broodhuis en de Gildehuizen.

HET STADHUIS

monument, waarvan de sobere schikking het geheel van de Grote Markt bepaalt en ordent, werd bij het begin van de 15de eeuw opgetrokken.

Het is een groots en toch streng gotisch bouwwerk – tegelijk centrum van het stadsbestuur, bastion van onze vrijheden en belichaming van de geschiedenis van de gemeente – en een der fraaiste burgerlijke gebouwen van de eeuw. Het is tevens een der oudste waarin de vlammengotiek werd toegepast.

Van een verbazende harmonie, niettegenstaande de verschillende bouwperioden, is het Stadhuis een interessant voorbeeld van architectuur en misschien meer nog van beelddecoratie. Deze laatste behoort immers tot de meest karakteristieke van onze Brabantse kunst uit de 15de eeuw.

De linkervleugel van het Stadhuis, waarvan de eerste steenlegging plaatsvond in 1402, liep rechts uit op een toren, belfort genoemd. Dit belfort schijnt echter reeds te hebben bestaan, te oordelen althans naar de archiefstukken die dagtekenen uit 1405. Volgens dezelfde bronnen ook, zou Jacob van Thienen de architect zijn geweest van de bestaande oorspronkelijke bouw.

Deze vleugel werd opgericht op een terrein dat voordien bezet was met gelegenheidsconstructies, door de stad opgericht in de nabijheid van twee onteigende 'steenen': 'De Meerte' en 'Den Wilden Ever'. Eerstgenoemd huis stond op de plaats waar thans het uurwerktorentje staat. De oude gebouwen werden door de gemeentelijke diensten gebruikt tot op het ogenblik waarop in de nieuwe stadhuisvleugel grotere en opmerkelijk beter aangepaste lokalen ter beschikking konden worden gesteld.

Maar de aldus bekomen plaatsruimte bleek nog niet voldoende. De uitbreiding van handel en industrie en de eropvolgende welvaartsituatie, hadden ook de uitbreiding van de administratieve diensten ten gevolge.

Zo komt het dat het stadsbestuur, een dertigtal jaren later en met het doel groter en nog mooier te bouwen, overging tot het onteigenen van een aantal huizen die binnen de

We shall review briefly the historic background of the buildings.

THE CITY HALL

A monument with sober features commands the whole square. Construction began in the early years of the 15th century.

This imposing construction in severe, gothic style, houses the city's administration. It was at the very centre of the history of Brussels's civic liberties. One of the finest examples of secular architecture of its times, it also is one of the oldest ones to feature flamboyant elements.

It is strikingly harmonious, despite the fact that building went on throughout a succession of periods and styles. Even more interesting are the adorning sculptures, so typical for Brabant art in the 15th century.

The left wing, the first stone of which was laid in 1402, ended, on its right side, with a tower, commonly called "belfry". According to city documents, this belfry existed already, prior to 1402. Apparently, the very first lay-out had been the work of architect Jacques Van Thienen.

The wing was built partly on the site of temporary city housings erected close to, or in the vicinity of, two expropriated "steenen" (stone buildings) called respectively "De Meerte" (the market), and "Den Wilden Ever" (the wild boar). The first house was on the spot where today stands the small tower with the clock. The old constructions were used by the city's administration, until the wing was completed. The latter soon was in need of extension. Expanding trade and industry brought about a proliferation of municipal services. Prosperity, as always, carries its own demands.

Some thirty years later, the city's magistrate, in its determination to enlarge and to improve, ordered the expropriation of a number of houses located on either side of the quadrilateral now filled by the city hall.

This happened between 1436 and 1444. On the newly cleared site, the

In der Folge werden wir auf die historische Bedeutung der verschiedenen Bauten eingehen.

DAS RATHAUS

Ein Kunstdenkmal, dessen schlichte Anordnung die Ganzheit des Grossen Marktes bestimmt und ordnet, wurde zu Beginn des 15. Jahrhunderts errichtet.

Es ist ein stolzes, streng gotisches Bauwerk – zugleich Zentrum der Stadtverwaltung, Bastion unserer Rechte und Freiheiten. Als Verkörperung der Stadtgeschichte ist es eines der schönsten bürgerlichen Gebäude des Jahrhunderts. Es ist zugleich eines der ältesten bei dem die Flammengotik zum Ausdruck kam.

Trotz der verschiedenen Bauperioden ist das Rathaus ein harmonisches Beispiel für die Architektur des 15. Jahrhunderts und noch mehr für die typische Bildhauerei der brabantischen Kunst.

Der linke Flügel des Rathauses, dessen Grundstein im Jahre 1402 gelegt wurde, grenzt rechts an den Turm, Bergfried genannt. Aus Archiven von 1405 geht hervor, dass dieser Bergfried schon vorher bestand und es scheint, dass sein Baumeister Jakob van Thienen war.

Der linkel Flügel wurde auf einem Gelände errichtet, auf welchem vorher verschiedene Gebäude standen, die die Gemeinde in der Nähe von zwei enteigneten »Steenen« errichtet hatte: »De Meerte« und »Den wilden Ever«. Das erstgenannte Haus stand dort, wo jetzt das Uhrtürmchen steht. Die alten Gebäude dienten der Gemeindeverwaltung solange, bis ihr im neuen Flügel des Rathauses grössere und bessere Räume zur Verfügung standen. Doch die so geschaffenen Räume reichten nicht lange aus. Durch den Aufschwung von Handel und Handwerk und die dadurch bedingte bessere Lebensweise wurde auch ein grösserer Aufwand für die Stadtverwaltung erforderlich. So musste diese etwa dreissig Jahre später mit dem Ziel, noch grösser und schöner zu bauen, eine weitere Anzahl von Häusern die im Bereich des heutigen Rathauses lagen, zwangsweise hinzuerwerben. Diese »Enteignungen«, wie man heute sagen würde, erfolgten von 1436 bis 1444. Auf dem so erworbenen Gelände wurde der rechte Flügel des Rathauses erbaut, dessen Grundstein am 4. März 1444 durch den Grafen von Charolais erfolgte. Dieser, damals kaum

occupé aujourd'hui par l'Hôtel de Ville.

Cette expropriation se fit de 1436 à 1444, et c'est sur ces terrains ainsi nouvellement trouvés que l'on construisit l'aile droite de l'Hôtel de Ville. La première pierre en fut posée, le 4 mars 1444, par le comte de Charolais, alors âgé à peine de onze ans et qui, plus tard, devait être le dernier duc de Bourgogne, sous le nom de Charles le Téméraire. A l'occasion de cette cérémonie, eut lieu, sur la place somptueusement décorée, un tournoi demeuré célèbre.

Il n'a pu être établi qui fut l'architecte de cette aile droite dont le gros œuvre fut terminé vers 1450-51. On sait, toutefois, que c'est le grand architecte Jean Van Ruysbroeck qui exécuta, sur le porche de l'ancien beffroi, la nouvelle et majestueuse tour, commencée en 1449 et au-dessus de laquelle, lors de son achèvement en 1455, fut placée la gracieuse statue de « Saint Michel terrassant le démon », œuvre du fondeur de cuivre Martin Van Rode.

Derrière le bâtiment gothique se trouvait la Halle aux Draps (1353) qui fut détruite lors du bombardement de Villeroy. Elle ne fut pas reconstruite et, sur son emplacement, Corneille Van Nerven édifia, dans le style de l'époque Louis XIV, une série de fastueux salons qui devaient, jusqu'à la fin de l'ancien régime, abriter les États de Brabant.

L'Hôtel de Ville, quadrilataire flanqué, aux angles, de tourelles en saillie se compose d'un rez-de-chaussée à arcades, de deux étages et d'une haute toiture percée de quatre rangées de lucarnes et ceinturée d'une balustrade à créneaux, souvenir des constructions fortifiées du Moyen-Age.

L'aspect actuel, tant intérieur qu'extérieur de notre maison communale, date de la restauration commencée en 1841 et poursuivie jusqu'au début du XXe siècle.

Si l'architecture de l'Hôtel de Ville reflète, dans ses lignes harmonieuses la puissance et la richesse de la cité, la sculpture ornementale qui la décore nous révèle, par ses caractéristiques, trois périodes importantes dans l'évolution de notre art bruxellois.

Toute la décoration actuelle est moderne : les figures des ducs et duchesses de Brabant, serrées les unes contre les autres en une frise continue entre les deux étages de l'aile occidentale; les deux énormes culs-de-lampe suspendus dans le vide au-dessus de l'escalier des Lions et qui sont historiés de scènes

door het huidige Stadhuis ingenomen ruimte waren gelegen.

Deze onteigening vond plaats van 1436 tot 1444, en op het aldus gewonnen terrein werd de rechtervleugel van het Stadhuis gebouwd. De eerste steen ervan werd gelegd op 4 maart 1444 door de graaf van Charolais, toen nauwelijks 11 jaar oud en beter bekend onder zijn latere naam Karel de Stoute, laatste hertog van Bourgondië. Ter gelegenheid van deze plechtigheid had op het rijkversierde plein een beroemd gebleven toernooi plaats.

De architect van deze vleugel is niet bekend. De ruwbouw ervan werd beëindigd ca 1450-51. Wel is bekend, dat de grote architect, Jan van Ruysbroeck, boven het poortgebouw van het oude belfort, de nieuwe, majestatische toren liet oprichten. Begonnen in 1449 en beëindigd in 1455, werd op de spits ervan het gratievolle beeld geplaats dat een Sint-Michiel voorstelt die de duivel velt. Het is een werk van de bronsgieter Martinus van Rode.

Achter het gotische gebouw lag nog steeds de lakenhalle die dagtekende van 1355. Ze werd vernield tijdens het bombardement van de Villeroy en niet heropgebouwd. Op de plaats ervan, bouwde Cornelis van Nerven een reeks feestelijke salons in Lodewijk XIV-stijl waarin, tot het einde van het 'ancien régime', de Staten van Brabant waren ondergebracht. Het Stadhuis zelf, op de hoeken bekroond met uitspringende torentjes, bezit een gelijksvloers met arkaden, twee verdiepingen en een hoog dak met vier rijen dakvensters, omzoomd met een gekanteelde balustrade. Deze laatste is een herinnering aan de versterkte gebouwen uit de middeleeuwen.

Het huidige uitzicht van het Stadhuis, zowel binnen als buiten, dagtekent uit de tijd van de restauratie. Deze werd begonnen in 1841 en beëindigd in het begin van de 20ste eeuw.

Terwijl de architectuur van het Stadhuis in de harmonie van haar lijnen, een atmosfeer van macht en rijkdom uitstraalt, reveleert de decoratieve sculptuur drie belangrijke perioden in de evolutie van de Brusselse beeldhouwkunst.

De hele huidige versiering is van recente datum : de beelden van de hertogen en hertoginnen van Brabant, eng tegen elkaar gedrukt in de doorlopende fries tussen de twee verdiepingen van de westelijke vleugel; de twee enorme sluitstenen boven de Leeuwentrap die episodes uitbeelden, enerzijds uit de moord in 1388 gepleegd op Everard 't

right wing of the city hall was built. The corner stone was laid, on March 4, 1444, by the 11 years old earl of Charolais, who was to become Charles the Bold, the last Duke of Burgundy. A famous tournament on the richly decorated square marked the occasion.

It has not been possible to trace the name of the architect of the right wing, the main walls of which were completed around 1450-51. The author of the majestic spire over the porch of the old belfry was a famous architect, Jean Van Ruysbroeck. Building began in 1449. On completion in 1455, the elegant statue of "St-Michael crushing the devil", by Martin Van Rode, a brass-founder, was hoisted on its top.

Behind the gothic building was the Cloth Hall (1353) destroyed during de Villeroy's bombing. It was not re-constructed. On its site Corneille Van Nerven built a succession of superb drawing-rooms in Louis XIV style. They housed the States of Brabant until the end of the Ancien Régime.

The city hall, a quadrilateral with projecting turrets at its angles, consists of a ground floor with arcades, two upper floors, and a high roof with four rows of attic windows and a crenellated balustrade recalling medieval fortress architecture.

The present state of our city hall, both inside and outside, is the result of restoration initiated in 1841 and carried out throughout the early years of the 20th century.

The harmonious features of the hall's architecture are indicative of the city's power and wealth. Its ornamental sculptures, on the other hand, show three important stages in the evolution of Brussels art.

The whole present decoration is modern: the figures of the dukes and duchesses of Brabant huddled together in a continuous frieze between the two top floors of the Western wing; the two enormous culs-de-lampe hanging over the Lions' stairs, decorated with episodes that evoke the murder of Everard 't Serclaes by the squire of Gaesbeek, in 1388, and the legend of Herkenbald, haman of Brussels; the porch's pediment showing, on

elfjährig, ist als Karl der Kühne und letzter Herzog von Burgund bekannt. Bei dieser Gelegenheit fand auf dem reich geschmückten Grossen Markt ein in der Erinnerung gebliebenes Turnier statt.

Der Baumeister des rechten Flügels ist nicht bekannt. Sein Rohbau wurde etwa 1450-51 beendet. Man weiss nur, dass der bekannte Baumeister Jan van Ruysbroeck über dem Torhaus des alten Bergfrieds den neuen majestätischen Turm errichten liess. Den Turm – 1449 begonnen und 1455 beendet – krönt die anmutige Statue des Hl. Michael, wie er den Teufel besiegt. Das Standbild ist das Werk des Bronzegiessers Martinus van Rode.

Hinter dem gotischen Gebäude lag noch immer die Tuchhalle, aus dem Jahre 1355. Sie wurde später durch die Beschiessung von de Villeroy zerstört und nicht wieder aufgebaut. An seiner Stelle baute Cornelis van Nerven eine Reihe von Festsälen im Stile Louis-XIV, in denen bis zum Ende des »ancien régime« die Staten von Brabant sich versammelten. Das Rathaus selbst besitzt ein Erdgeschoss mit Arkaden und ist zwei Stockwerke hoch. Sein hohes Dach mit in vier Reihen angeordneten Dachfenstern wird von einer Balustrade mit Zinnen und an den Ecken hervorspringenden Türmchen umsäumt. Die Balustrade erinnert an die befestigten Gebäude des Mittelalters.

Das heutige innere und äussere Aussehen des Rathauses, stammt aus der Zeit der Restaurierung. Diese wurde im Jahre 1841 begonnen und anfangs des 20. Jahrhunderts vollendet. Von der Architektonik des Rathauses geht nicht nur eine Atmosphäre van Macht und Reichtum aus, sondern die dekorativen Steinmetzarbeiten lassen auch drei wichtige Perioden der Brüsseler Bildhauerkunst lebendig werden.

Die gesamte heutige Verzierung ist jungen Datums : Auf dem umlaufenden Fries zwischen den zwei Stockwerken des westlichen Flügels eng aneinander gerückt sind die Herzöge und Herzoginnen von Brabant dargestellt. Über der Löwentreppe befinden sich die zwei riesigen Schlussteine, welche Episoden aus der Brüsseler Geschichte darstellen : Auf der einen Seite die Ermordung von Everard 't Serclaes auf Befehl des Herrn van Gaasbeek, auf der anderen eine Szene aus der Legende von Herkenbald, Amtmann von Brüssel. Auf dem Tympanon des Frontispiz über der Eingangspforte sind abgebildet : Der Hl. Michael als Schutzheiliger von Brüs-

rappelant l'assassinat, en 1388, d'Everard 't Serclaes, par le sire de Gaesbeek, et la légende d'Herkenbald, amman de Bruxelles; le fronton du porche d'entrée où l'on peut voir, dans le tympan : au centre, saint Michel, patron des escrimeurs et de Bruxelles; à droite, saint Georges, patron des arbalétriers; à gauche, saint Christophe, patron des arquebusiers; dans les angles, saint Sébastien, patron des archers et saint Géry, évêque.

Même décoration moderne : les statues des prophètes du porche d'entrée et les chapiteaux de l'aile droite auxquels nous nous arrêterons quelques instants; les originaux étant conservés au Musée communal (Maison du Roi), il nous sera aisé d'en donner quelques détails.

Les statuettes des prophètes – les plus anciennes et sans doute les plus importantes sculptures qui ornaient la voussure du porche de l'ancien beffroi, datées de 1380 – accusent le style robuste de la seconde moitié du XIVe siècle : formes largement traitées, recouvertes de vêtements aux plis ondoyants et souples tombant en cascades de volutes, aux visages calmes, absorbés par des pensées profondes, insensibles aux choses extérieures.

Ces œuvres, de première valeur, sont attribuées à Claus Sluter, célèbre artiste de la fin du XIVe siècle, originaire de Hollande. Ayant séjourné à Bruxelles où il eut un atelier, entre 1370 et 1380, il partit pour Dijon où il se trouva en 1385 et où il devint le sculpteur attitré de Philippe le Hardi.

Sluter est aussi l'auteur du magnifique puits de Moïse, de la Chartreuse de Champmol, dont les prophètes de Bruxelles rappellent les caractéristiques par leurs attitudes et le drapé de leurs vêtements.

L'art de l'école bruxelloise de la seconde moitié du XIVe siècle, dont les prophètes sont typiquement représentatifs, le style ample et réaliste, d'une exceptionnelle puissance d'expression, se transformera durant la première moitié du XVe siècle. Et, par une période de transition marquée par les sculptures de l'aile gauche, il atteindra, dans celles de l'aile droite, à sa maturité, différent de caractère, mais toujours réaliste : les compositions s'animent se dramatisent en des formes pittoresques, populaires, plus compréhensives, même satiriques; le drapé des vêtements aux plis cassés, anguleux et profondément fouillés, diffèrent de ceux du XIVe siècle.

Les trois chapiteaux qui reçoivent la retombée des arcades de l'aile

Serclaes door de heer van Gaasbeek, en anderzijds uit de legende van Herkenbald, amman van Brussel; het fronton van de ingangspoort waarop, in het tympaan, zijn afgebeeld : in het midden, Sint-Michiel, patroon van Brussel en van de schermers; rechts Sint-Joris, patroon van de kruisboogschutters; links Sint-Christoffel, patroon van de haakbusdragers; in de hoeken, Sint-Sebastiaan, patroon van de boogschutters en Sint-Gorik, bisschop. In eenzelfde moderne uitvoering nog : de profetenbeelden van de toegangspoort en de kapitelen van de rechter vleugel, waar wij enkele ogenblikken zullen bij stilstaan. Vermits de originele beelden bewaard worden in het Stedelijk Museum (Broodhuis), kunnen wij er enkele details over verstrekken.

De profetenbeeldjes, de oudste en ongetwijfeld de belangrijkste sculpturen die de poortboog van het oude belfort versierden, dagtekenen van 1380. Zij verraden de robuste stijl van de tweede helft van de 14de eeuw : breeduitgewerkte vormen, bedekt met plooienrijke en soepele gewaden die in volutengolven naar beneden vallen, kalme, voor de buitenwereld ongevoelige gezichten die een intens innerlijk leven weerspiegelen. Deze eersterangswerken worden toegeschreven aan Claus Sluter, beroemd kunstenaar uit het eind van de 14de eeuw en afkomstig uit Nederland. Na een verblijf te Brussel, waar hij tussen 1370 en 1380 een atelier bezat, vertrok hij naar Dijon waar we hem aantreffen in 1380 en alwaar hij hofbeeldhouwer werd van Filips de Stoute.

Sluter was ook de schepper van de prachtige Mozesput uit de Karthuizerskerk van Champmol, waarvan de figuren in houding en klerenval, sterk herinneren aan de Brusselse profeten.

De kunst van de Brusselse school van de tweede helft der 14de eeuw, waarvan de profetenbeelden een typisch voorbeeld, de stijl realistisch en groots, de uitdrukkingskracht ongewoon zijn, ondergaat een merkbare verandering tijdens de eerste helft van de 15de eeuw. Langs een overgangsperiode om, gekenmerkt door de beelden van de linkervleugel, bereikt hij in deze van de rechtervleugel, zijn volle rijpheid, verschillend van karakter maar steeds realistisch : de compositie wordt levendiger, dramatischer, de vormen meer pittoresk, populair, begrijpelijker en zelfs statischer, de klerenval is hoekiger, met gebroken plooien, diep uitgewerkt, verschillend van deze van de 14de eeuw.

the tympanum: in the centre, St-Michael, patron of Brussels's swordsmen – to the right, St-George, patron of the cross-bowmen – to the left St-Christopher, patron of the arquebusiers – in the angles St-Sebastian, patron of the archers, and St-Géry, bischop.

Also modern are the statues of the prophets in the entrance porch, and the column capitals of the right wing, of which we will take note while passing. The originals are in the city museum ("Maison du Roi") where they can be viewed in more detail.

The small statues of the prophets – the oldest (1380), and probably the most important sculptures which decorated the arching of the porch in the old belfry – reveal the robust style of the 14th century: large treatment of forms covered by clothes with undulating, supple folds backing down in curling cascades; peaceful faces lost in deep thoughts, and oblivious of the outer world.

These first-class works are attributed to Claus Sluter, a famous artist of Dutch origin at the end of the 14th century. He spent some time in Brussels, where he had a studio between 1370 and 1380. Afterwards he moved to Dijon, where he sojourned in 1385, to become the personal sculptor of Philip the Bold.

Sluter is also the author of the magnificent Moses Fount from the Carthusian monastery at Champmol which is greatly similar to the Brussels prophets, in attitudes and the folding of clothes.

Brussels art in the second half of the 14th century – of which the prophets are highly representative – was both ample, close to reality, and exceptionally powerful. This was to change in the 15th century, as exemplified by the sculptures in the left wing.

It as two be fully developed in those of the right wing. The art still strives towards realism, but in a more vivid, animated, typical, popular, and intelligible, even satirical way. The folds in clothing now are broken, more angular and detailed.

The three capitals supporting the spring of the arcade in the right

sel und der Degenfechter, rechts der Hl. Georg als Schutzpatron der Kreuzbogenschützen, links der Hl. Christoph als Schutzheiliger der Hakenbüchsenträger und in den Ecken der Hl. Sebastian als Schutzpatron der Bogenschützen beziehungsweise der Hl. Gorik, ehemaliger Bischof.

In derselben modernen Ausführung finden wir am Eingangstor und an den Kapitellen des rechten Flügels die Propheten, wo wir einige Augenblicke verweilen wollen.

Da die ursprünglichen Skulpturen im Städtischen Museum (Broodhuis) aufbewahrt werden, können wir einige Besonderheiten darüber erzählen. Die Figuren der Propheten, die ältesten und unzweifelhaft die wichtigsten, die den Torbogen des alten Bergfrieds schmückten, stammen aus dem Jahr 1380. Sie zeigen den robusten Stil der zweiten Hälfte des 14. Jahrhunderts : breitausgearbeitete Formen, bedeckt mit faltenreichen und schmiegsamen Gewändern, die in spiraligen Wellen herunterfallen, ruhige Gesichter, die dem Betrachter kein Gefühl verraten, aber ein inniges inneres Leben widerspiegelen. Diese Meisterwerke werdem dem berühmten Claus Sluter zugeschrieben, der Ende des 14. Jahrhunderts lebte und aus Holland stammte. Zwischen 1370 und 1380 hatte er ein Atelier in Brüssel, siedelte aber später (1380) nach Dijon über, wo er Hofbildhauer von Philipp dem Kühnen wurde. Sluter war auch der Schöpfer des prächtigen Mosesbrunnen in der Kirche der Chartreuse zu Champmol, dessen Figuren in Haltung und Faltenwurf stark an die Brüsseler Propheten erinnern.

Die Kunst der Brüsseler Schule der zweiten Hälfte des 14. Jahrhunderts von der die Prophetenfiguren ein typisches Beispiel geben, und deren Stil realistisch und grosszügig und in der Ausdruckingskraft ungewöhnlich ist, erfährt eine merkliche Veränderung während der ersten Hälfte des 15. Jahrhunderts. Über eine Zwischenperiode, erkennbar an den Skulpturen des linken Flügels, erreicht sie in denen des rechten Flügels ihre volle Reife, andersartig im Charakter doch stets realistisch. Die Komposition wird lebendiger, dramatischer, die Formen malerischer, volkstümlicher, anschaulicher und sogar satirischer. Der Faltenwurf ist reichlicher mit gebrochenen Falten, tief ausgearbeitet und unterscheidet sich deutlich von denen des 14. Jahrhunderts.

Die drei Kapitelle, die den Ansatz der Bogen des rechten Flügels bil-

droite, datant d'environ 1450, s'inspirent, dans l'élaboration de leur composition de la dénomination d'anciennes maisons qui s'élevaient jadis sur l'emplacement de cette aile et qui furent démolies pour permettre sa construction (nous y avons déjà fait allusion) : le « Papenkeldere », le « Moor » et le « Scupstoel » sont des exemples frappants de cette école bruxelloise originale, pleine de verve, de réalisme et de puissance.

Si l'extérieur de l'Hôtel de Ville force notre admiration, l'intérieur de ce majestueux édifice constitue un véritable musée. Les différentes salles de réunions comme aussi les cabinets d'Échevins sont ornés d'œuvres d'art précieuses, notamment : un ravissant portrait de mademoiselle de Noailles attribué à Hubert Drouais, célèbre peintre français du XVIIIe siècle, orne le cabinet du Bourgmestre; un délicat portrait du marquis de Marigny attribué également à un peintre français du XVIIIe siècle, J.B. Nattier, ainsi qu'un énigmatique portrait satirique du peintre hollandais Goltzius et représentant probablement Diane de Poitiers sont conservés dans le cabinet de l'Échevin des Travaux Publics; un beau paysage des environs de Bruxelles que l'on suppose être de Jean Bruegel dit de Velours, est le joyau du cabinet de l'Échevin de l'État Civil, ravissant salon situé sous la tour et décoré suivant l'esprit du XVIIIe siècle.

Mais ce qui fait surtout la richesse artistique de notre maison communale, comme aussi notre fierté, c'est l'incomparable collection de tapisseries bruxelloises des XVIe, XVIIe et XVIIIe siècles.

Les plus belles, comme aussi les plus représentatives de l'art de la tapisserie, sont incontestablement l'histoire de Bethsabée dans le somptueux cabinet de l'Échevin de l'Instruction Publique et des Beaux-Arts; le Credo dans le cabinet de l'Échevin des Propriétés Communales et la scène de chasse dans les jardins du Palais de Coudenberg, dans le cabinet de l'Échevin des Travaux Publics.

Enfin, dans la magnifique salle du Conseil, trois tapisseries du XVIIIe siècle des célèbres ateliers Leyniers et Reydams : Inauguration de Philippe le Bon, en 1430, comme duc de Brabant; abdication de Charles-Quint, en 1555; inauguration, comme duc de Brabant, en 1717, de l'empereur Charles VI. Les cartons de cet harmonieux ensemble de tentures sont l'œuvre du peintre bruxellois Victor Janssens.

De drie kapitelen die de aanzet vormen van de bogen van de rechtervleugel, dagtekenen van ca 1450. De gebeeldhouwde taferelen ervan zijn geïnspireerd door de benaming van oudere huizen die zich aldaar bevonden en die werden vernield om er deze vleugel van het Stadhuis te bouwen. Het zijn 'De Papenkeldere', 'De Moor' en 'De Scupstoel'. De kapitelen zelf zijn schitterende voorbeelden van deze originele Brusselse school : ze zijn pittig, realistisch en krachtig.

Dwingt de buitenkant van het Stadhuis onze bewondering af, het binnenste ervan is een waar museum. De diverse vergaderzalen, evenals de schepenkabinetten bevatten kostbare kunstwerken. Onder meer : een verrukkelijk portret van Mademoiselle de Noailles, toegeschreven aan Hubert Drouais, frans schilder uit de 18de eeuw, in het kabinet van de burgemeester; een mooi portret van markies de Marigny, eveneens toegeschreven aan een Frans meester uit de 18de eeuw, J.B. Nattier, evenals een enigmatisch satirisch portret van de hollandse schilder Goltzius en dat waarschijnlijk Diane de Poitiers voorstelt, in het kabinet van de Schepen van Openbare Werken; een mooi landschap van de omgeving van Brussel, toegeschreven aan de fluwelen Bruegel, vormt het pronkstuk van het kabinet van de schepen van de Burgelijke Stand, een verrukkelijk salon dat onder de toren ligt en dat volledig in 18de-eeuwse stijl is ingericht en versierd. Wat echter voor alles de artistieke rijkdom van het Stadhuis uitmaakt en tevens onze fierheid wekt, is de onvergelijkelijk rijke verzameling Brusselse wandtapijten uit de 16de, 17de en 18de eeuwen.

De mooiste en ook meest representatieve zijn deze met de 'Geschiedenis van Bethsabee', in het kabinet van de schepen van Openbaar Onderwijs en Schone Kunsten, het 'Credo' in het kabinet van de schepen van de Gemeentelijke Eigendommen en de 'Jachtscene in de tuinen van het paleis van Koudenberg' in het kabinet van de schepen van Openbare Werken.

Tenslotte is er de prachtige Raadszaal, met drie wandtapijten uit de 18de eeuw, afkomstig uit de vermaarde ateliers Leyniers en Reydams : de 'Huldiging van Filips de Goede in 1930 als hertog van Brabant'; de 'Troonsafstand van Keizer Karel in 1555'; de 'Huldiging in 1717 van Karel VI als hertog van Brabant'. De kartons van dit mooie geheel zijn het werk van de Brusselse schilder Victor Janssens.

wing – made around 1450 – are decorated after the names of the old houses which were demolished to make room for the wing (as already indicated earlier on): the "Papenkeldere" (Christians'cave), the "Moor" (moor) and the "Scupstoel" (low chair) are striking examples of this specific Brussels school, marked by verve, realism, and powerful expression.

The city hall is impressive on the outside. The inside of this magnificent building, on the other hand, is like a museum. Both the assembly halls and the aldermen rooms are full of precious works of art.

The burgomaster's office houses, among other things, a delightful portrait of Mademoiselle de Noailles attributed to Hubert Drouais, a well-known French 18th century painter. The alderman responsible for Publics Works can look at a fine portrait of the Marquis de Marigny attributed to J.B. Nattier, another French 18th century artist, and at an enigmatic, satirical portrait – probably Diane de Poitiers – by the Dutch painter Goltzius. An exquisite drawing-room located under the spire, and decorated in the manner of the 18th century, serves as office for the alderman acting as Registrar. It houses a fine landscape of the Brussels area, possibly by Jan (Velvet) Bruegel.

The most treasured works of art in the city hall, however, are its matchless collection of Brussels tapestries of the 16th, 17th and 18th centuries.

The finest, and also the most exemplative ones of the art of tapestry weaving are: the story of Bathsheba, in the superb office of the alderman responsible for Education and Fine Arts; the Credo, in the office of the alderman in charge of municipal Real Estate; and the hunting episode in the Coudenberg Palace gardens, in the office of the alderman responsible for Public Works.

Finally, the Council hall houses three 18th century tapestries from the famous Leyniers and Reydams workshop: the intronisation of Philip the Good, in 1430, as Duke of Brabant; Charles the Fifth's abdication, in 1555; the intronisation of Emperor Charles the Sixth as Duke of Brabant, in 1717. The cartoons for this superb set of decorations were painted by a **Brussels** artist, Victor Janssens.

den, stammen von ca. 1450. Die gemeisselten Szenen darauf wurden inspiriert durch die Namen der älteren Häuser, die an dieser Stelle abgebrochen wurden, um diesen Flügel des Rathauses zu bauen. Es sind »De Papenkeldere», »De Moor« und »De Scupstoel«. Die Kapitelle selbst sind hervorragende Arbeiten dieser merkwürdigen Brüsseler Schule. Sie sind originell, realistisch und kraftvoll.

Ist die Aussenseite des Rathauses schon zu bewundern, so ist es innen ein echtes Museum. Die verschiedenen Sitzungssäle sowie die Räume der Mitglieder des Stadtrates enthalten kostbare Kunstwerke. U.a. schmückt ein bezauberndes Porträt der Mademoiselle de Noailles das Arbeitszimmer des Bürgermeisters, welches Hubert Drouais, einem französischen Maler des 18. Jahrhunderts zugeschrieben wird. Ein schönes Porträt des Marquis de Marigny, dem französischen Meister des 18. Jahrhunderts, J.B. Nattier, zugeschrieben, sowie ein rätselhaftes, satirisches Bild des holländischen Malers Goltzius, welches wahrscheinlich Diane de Poitiers darstellt, hängen in den Räumen des Stadtbauamtes. In einem entzückenden Salon unter dem Turm, der vollständig im Stil des 18. Jahrhunderts eingerichtet ist, befindet sich als Glanzstück des Standesamtes ein dem Samt-Bruegel zugeschriebenes schönes Landschaftsbild von der Umgebung Brüssels.

Was vor allem aber den künstlerischen Reichtum des Rathauses darstellt und unser Stolz ist, ist die unvergleichliche, reiche Sammlung Brüsseler Wandteppiche des 16., 17. und 18. Jahrhunderts. Die schönsten und auch die typischsten sind diejenigen mit der »Geschichte der Bathseba im prächtigen Kabinett des Stadtrats für öffentlichen Unterricht und Kunst, mit dem »Credo« im Kabinett des Stadtrats der Stadtwerke und mit den »Jagdszenen in den Gärten des Palasts von Coudenberg« im Kabinett des Stadtrats für die öffentlichen Arbeiten. Schliesslich befinden sich im prachtvollen Ratssaal noch drei Wandteppiche aus dem 18. Jahrhundert, die aus den berühmten Ateliers Leyniers und Reydams stammen. Sie stellen dar: die »Huldigung von Philipp dem Guten als Herzog von Brabant im Jahre 1430«, den »Thronverzicht von Kaiser Karl im Jahre 1555« und die »Huldigung Karls VI. als Herzog von Brabant im Jahre 1717«. Die Entwürfe zu diesen wunderbaren Stücken stammen von dem Brüsseler Maler Victor Janssens.

élégante construction, richement décorée, est une excellente reconstitution de ce qu'elle fut au XVIe siècle.

A l'emplacement du bâtiment actuel s'élevait déjà, au XIIIe siècle, une Halle aux Pains (Broodhuis) dont on ne connaît pas l'aménagement primitif. Elle n'avait cependant qu'un but économique, bien sûr; et, dans la simplicité de cette construction de bois, les boulangers allaient installer leurs échoppes.

Plus tard, vers la fin dudit siècle, la halle primitive fut remplacée par une construction plus moderne et conserva sa destination, avec cette différence cependant, qu'elle ne permit plus l'installation de ces échoppes; et, dès lors, les boulangers vendirent leur pain chez eux. Seuls, des boulangers étrangers y apportèrent encore le pain destiné à la ville.

Mais, cette situation ne dura pas et l'on commença par installer, dans ce nouvel édifice, tout autre chose, soit la Chambre des Tonlieux, le Tribunal de la Foresterie, ainsi que les bureaux du receveur général du domaine de Brabant. La Halle aux Pains fut ainsi désaffectée, dès le XVe siècle, et prit la dénomination de « Maison du Duc ». Plus tard encore, au début du XVIe siècle, il fut décidé de remplacer cette construction par un nouvel édifice, plus grand, plus beau.

C'est en 1515, après qu'on eût procédé à la démolition de l'édifice, que commencèrent les travaux de la nouvelle construction, suivant les ordres de Charles-Quint; dès lors, la « Maison du Duc » devint « Maison du Roi ».

La Maison du Roi, imposant quadrilatère isolé, se composant d'un rez-de-chaussée, de deux étages et d'une vaste toiture, fut construite d'après les plans de l'architecte malinois Antoine Keldermans fils, dit « le Jeune »; malheureusement, celui-ci décéda à l'origine de la construction. Quelques maîtres brabançons, conduits par le grand architecte Louis Van Bodeghem, continuèrent l'entreprise et collaborèrent ainsi à l'édification de ce qui allait devenir la Maison du Roi; ce furent les architectes Dominique De Wagemaker, Henri Van Pede et Rombaud Keldermans, frère du précédent.

Il semble que l'achèvement de la Maison du Roi ne se fit que vers 1536. Cet édifice était l'un des plus gracieux monuments, caractéristique du style gothique tertiaire. Ce style,

Dit elegante, rijkversierde gebouw, is een geslaagde reconstructie van het oorspronkelijke gebouw dat dagtekende uit de 16de eeuw. Op de plaats van het huidige gebouw stond, reeds in de 13de eeuw, een Broodhalle (Broodhuis). De oorspronkelijke plannen hiervan zijn niet bekend. Het was een eenvoudig houten gebouw waarbinnen de bakkers hun winkeltjes installeerden.

Later, omstreeks het eind van de eeuw, werd de oorspronkelijke halle vervangen door een meer moderne constructie. Haar bestemming bleef behouden, met dit verschil dan, dat in het nieuwe gebouw geen winkeltjes meer mochten worden ingericht. Van dat ogenblik af verkochten de bakkers hun brood thuis. Alleen de vreemde bakkers mochten er het brood afleveren dat voor de stad was bestemd.

Deze toestand was echter van korte duur. In het nieuwe gebouw werden nu heel andere dingen ondergebracht : de Kamer van de Standgelden, het Tribunaal van de Foresterie, evenals de bureau's van de hoofdontvanger van het Domein van Brabant. De Broodhalle die aldus vanaf de 15de eeuw een andere bestemming had gekregen, werd nu omgedoopt in 'het Huis van de Hertog'. Nog later, bij het begin van de 16de eeuw, werd besloten dit huis te vervangen door een nieuw, groter en schoner gebouw.

Als gevolg van een beslissing van Keizer Karel, werd in 1515 het oude gebouw afgebroken en met de nieuwbouw begonnen. Het 'Huis van de Hertog' werd van dat ogenblik af, het 'Huis van de Koning' genoemd. Dit imposante alleenstaande gebouw, met zijn gelijkvloers, twee verdiepingen en een hoog zadeldak, werd opgericht naar de plannen van de Mechelse architect Antoon Keldermans II, ook genoemd 'de jonge'. Deze overleed echter bij het begin van de werkzaamheden. Het werk werd voortgezet door enkele Brabantse meesters, onder de leiding van de grote architect Lodewijk van Bodeghem. Het waren de architecten : Dominicus de Wagenmaker, Hendrik van Pede en Rombout Keldermans, broeder van Antoon.

Het gebouw werd eerst in 1536 voltooid. Het was een der mooiste monumenten, opgericht in laatgotische stijl. Hoewel deze stijl geen grote veranderingen bracht in de constructie, toch was hij door het aanwenden van enkele nieuwe architectuurelementen, reeds een voorbode van de renaissance : o.m.

This elegant, richly decorated building is an excellent reconstruction of an earlier, 16th century palace.

On its site stood an undocumented 13th century Bread Hall (Broodhuis), probably a wooden, utilitarian, and plain construction where bakers plied their trade.

Later on, in the same century, a more elaborate hall was built. Local bakers, however, no longer traded there, since they sold their bread from their own shops. It was used as a store for bread brought in from outside the city.

Soon, however, the new building was put to other, judiciary and fiscal uses. The Bread Hall, therefore, was given a new name – "Maison du Duc" – in the 15th century. And early in the 16th century its demolition was decided upon, in order to make room for a larger, more beautiful house.

The new construction began in 1515, on orders from Charles the Fifth. In this way the "Maison du Duc" became the "Maison du Roi".

The "Maison du Roi", an impressive, isolated quadrilateral consisting of a ground floor, two upper floors and a vast roof, was built on a layout by Antoine Keldermans the son, also called "the Younger", from Malines. Unfortunately, he died during the early stage of construction. A few masters from Brabant under the leadership of a great architect, Louis van Bodeghem, took over the management of what was to become the "Maison du Roi": Dominique De Wagemaker, Henri Van Pede, and Rombaud Keldermans, brother of the initial architect.

The building, apparently, was completed around 1536. It was an elegant construction in the tertiary gothic style. This trend, while not marked by great architectural innovations, should be seen as a prelude to Renaissance : basket-handle arches, elimination of capitals on imbedded colonettes, tracery vaultings, and a wealth of finely elaborated sculptural motifs turn this elegant monument into a precious shrine.

It was further decorated during the reign of the Archdukes Albert and

Dieses geschmackvolle, reich geschmückte Gebäude ist eine gelungene Rekonstruktion des ursprünglichen Baus, welcher aus dem 16. Jahrhundert stammte. Auf dem Platz des heutigen Gebäudes stand bereits im 13. Jahrhundert eine »Brothalle« (Broodhuis). Die ursprünglichen Pläne hiervon sind unbekannt. Es war ein einfacher hölzerner Bau, in dem die Bäcker ihre Läden einrichteten.

Später, gegen Ende des Jahrhunderts, wurde die erste Halle durch eine moderne Konstruktion ersetzt, deren Bestimmung erhalten blieb, mit dem Unterschiede jedoch, dass in dem neuen Gebäude keine Läden mehr eingerichtet werden durften. Von da ab, verkauften die Bäcker ihr Brot zu Hause. Nur die auswärtigen Bäcker konnten dort ihr Brot, das für die Stadt bestimmt war, abliefern. Das blieb allerdings nicht lange so. Bald wurde in dem neuen Gebäude ganz anderes untergebracht, nämlich die Kammer der Marktstandgelder, das Tribunal des Forstwesens, sowie auch die Büros des Hauptsteuereinnehmers der Domäne von Brabant. Die Brothalle, die so vom 15. Jahrhundert ab, eine andere Bestimmung erhalten hatte, wurde nun umgetauft in »Haus des Herzogs«. Noch später, zu Beginn des 16. Jahrhunderts, wurde beschlossen dieses Haus durch ein neues, grösseres und schöneres Gebäude zu ersetzen.

Auf Grund eines Beschlusses Kaiser Karls wurde 1515 das alte Gebäude abgerissen und mit einem Neubau begonnen. Das »Haus des Herzogs« wurde von da ab das »Haus des Königs« genannt.

Dieses imposante alleinstehende Gebäude mit Erdgeschoss, zwei Stockwerken und hohem Satteldach wurde nach Plänen des Baumeisters Antoon Keldermans II. aus Mechelen, auch der Jüngere genannt, erbaut.

Er starb allerdings zu Beginn der Arbeiten. Unter Leitung des grossen Baumeisters Lodewijk van Bodeghem setzten verschiedene Brabantische Meister die Arbeit fort. Es waren dies Dominicus de Wagenmaker, Hendrik van Pede und Rombout Keldermans, der Bruder des verstorbenen Antoons.

Der Bau wurde erst 1536 vollendet. Es war eins der schönsten Bauwerke in spätgotischem Stil. Obwohl dieser Stil keine grossen Veränderungen in der Ausführung brachte, war er durch die Verwendung einiger neuer architektonischer Elemente bereits ein Vorbote der Renaissance, u.m.

s'il n'apporte pas de grand changement dans la construction, en annonce néanmoins déjà le style Renaissance, par quelques éléments architecturaux nouveaux : arcs en anse de panier, suppression de chapiteaux dans les colonnettes engagées, voûtes en réseaux, surcharge d'une profusion de motifs sculpturaux d'une exécution fine et délicate, d'un harmonieux effet, transformant cet élégant monument en une véritable châsse précieuse.

Embelli sous le règne des archiducs Albert et Isabelle, cette dernière fit placer, sur la façade de l'édifice, une statue de la Vierge, avec une double inscription : « A peste fame et bello libera nos Maria Pacis » et « Hic votum pacis publicae Elysabet consecravit » (chronogramme qui donne 1625).

Fortement endommagée, en 1695, par le bombardement du maréchal de Villeroy, la Maison du Roi fut restaurée par Jean Cosyn, architecte de l'époque. Mais, une nouvelle restauration, en 1767, défigura complètement l'édifice.

Sous le régime français, la Maison du Roi prit le nom de « Maison du Peuple » et déclarée bien national. L'effigie de la Vierge, les inscriptions et les ornements furent détruits par les révolutionnaires. Les salles furent occupées, l'étage, par le Conseil de guerre, le Tribunal criminel et une école pour enfants pauvres; au rez-de-chaussée, un corps de garde.

Cédée à la ville, elle fut vendue, le 13 avril 1811, et devint la propriété du marquis d'Arconati Visconti qui la revendit, en 1817, à Simon Pick; la fille de ce dernier, épouse du peintre Louis Gallait, la céda, à son tour, à la ville en 1860.

Nonobstant les diverses restaurations qu'elle avait subies, la Maison du Roi était dans un état de vétusté fort marqué et la ville prit la décision de la faire démolir pour la reconstruire... une fois de plus.

C'est Victor Jamaer, architecte de la ville, qui fut chargé de cette réédification. Commencée en 1873, elle fut sous toit en 1885 et occupée (rez-de-chaussée et premier étage) par les services financiers de la ville. Mais, ce n'est qu'en 1895 que cette nouvelle construction fut officiellement inaugurée. De 1885 à 1895, elle fut parachevée par ses ornements, décorations et sculptures multiples qui en ont fait une « Maison du Roi » digne des plus beaux monuments architecturaux du pays.

L'architecte prénommé reconstitua la « Maison » de l'époque de Charles-Quint, en s'inspirant de la

door het gebruik van de korfboog, het weglaten van de kapitelen bij de ingewerkte zuiltjes, gewelven en pijlerbundels, het overladen met een massa fijn en delicaat gesculpteerde motieven, die aan het gebouw het uitzicht verlenen van een kostbaar schrijn.

Verfraaid ten tijde van de aartshertogen Albrecht en Isabella, liet deze laatste op de voorgevel van het gebouw nog een O.-L.-Vrouwbeeldje aanbrengen, met de dubbele inscriptie : 'A pesto fame et bello libera nos Maria Pacis' en 'Hic votum pacis publicae Elysabet consecravit' (Het chronogram geeft het jaartal 1625).

Sterk beschadigd tijdens het bombardement van de Villeroy in 1695, werd Jan Cosyn belast met de restauratie van het Broodhuis. Helaas werd het gebouw omzeggens volledig verknoeid tijdens een volgende restauratie, in 1767.

Ten tijde van de Franse overheersing, veranderde het Broodhuis opnieuw van naam. Het 'Volkshuis' werd uitgeroepen tot nationaal bezit. De beeltenis van O.-L.-Vrouw, de inscripties en versieringen werden vernield door de revolutionairen. De zalen van de bovenverdieping werden in beslag genomen door de krijgsraad, de strafrechtbank en een school voor arme kinderen. De wacht was ondergebracht op het gelijkvloers.

Aan de stad overgedragen, werd het Broodhuis verkocht op 13 april 1811 en werd het eigendom van markies Arconati Visconti die, op zijn beurt, het huis in 1817 verkocht aan Simon Pick. Dezes dochter, de vrouw van de schilder Louis Gallait, schonk het Broodhuis in 1860 aan de stad terug.

Hoewel het Broodhuis verschillende restauraties heeft doorstaan, bevond het zich in een toestand van gevorderd verval en zag het stadsbestuur zich genoodzaakt het gebouw te slopen en, voor de zoveelste maal, tot de heropbouw ervan over te gaan. Met deze opdracht werd de stadsarchitect, Victor Jamaer, belast. Begonnen in 1873, stond het gebouw onder dak in 1885. Het gelijkvloers en de eerste verdieping werden in bezit genomen door de financiële diensten van de stad. Het duurde echter tot 1895, vooraleer het gebouw officieel kon worden ingehuldigd. Van 1885 tot 1895, werd gewerkt aan de versiering en aan de talrijke sculpturen, die van het Broodhuis een der mooiste monumenten van het land maakten.

De architect reconstitueerde het huis uit de tijd van Keizer Karel en baseerde zich hierbij op de, ververkeerdelijk, aan Jacques Callot

Isabelle. The latter ordered the installation, on the facade, of a statue of the Virgin, with a double inscription : "A peste fama et bello libera nos Maria Pacis", and "Hic votum pacis publicae Elysabet consecravit" (the chronogram of which is 1625).

The "Maison du Roi" was severely damaged by marshal de Villeroy's bombing. It was restored by Jean Cosyn, an architect of the times. A further restoration, in 1767, resulted in total disfiguration.

Under the French régime the "Maison du Roi" was treated as public property, and called "Maison du Peuple". The Revolution marked the destruction of the statue of the Virgin, of the inscriptions, and the ornaments. The halls on the upper floors were assigned to the Court Martial, the Criminal Court, and to serve as a school for poor children. The ground floor was turned into guard quarters.

The building was returned to the city, and subsequently sold, on April 13, 1811, to the Marquess d'Arconati Visconti who, in his turn, sold it to Simon Pick, in 1817. The latter's daughter, wife of the painter Louis Gallait, handed it back to the city, in 1860.

By then, and despite successive restorations, the "Maison du Roi" was in very poor repair, and the city decided to demolish it – once more – and build it up again.

The city architect Victor Jamaer was put in charge. Work began in 1873, and on completion of the roof – in 1885 – ground and first floors were assigned to the city's financial services. The official inauguration took place in 1895. Ornamental work, and sculpture decorations took about ten years, between 1885 and 1895, turning the "Maison du Roi" into one of the country's finest architectural monuments.

In reconstructing the "Maison" as it stood in the days of Charles de Fifth, the architect took his cues from an engraving erroneously attributed to Jacques Callot, and from the city hall at Oudenaarde, built by Henri Van Pede. He completed the 16th century building by adding galleries to the façade, and

so durch Anwendung des Korbbogens, den Wegfall der Kapitelle bei den eingebauten Säulchen, Gewölben und Bündelpfeilern und die Verwendung vieler fein und zierlich gestalteter Motive, die dem Bauwerk das Aussehen eines Schreins verliehen.

Zur Zeit der Erzherzöge Albrecht und Isabella verschönerte man noch das Gebäude. Die letzte liess auf der Fassade ein Liebfrauenbildnis mit den Inschriften anbringen : »A pesto fame et bello libera nos María pacis« und »Hic votum pacis publicae Elysabet consecravit«. (Das Chronogramm ergibt die Jahreszal 1625). Nach der starken Beschädigung durch den Beschuss von de Villeroy 1695 beauftragte man Jan Cosyn mit der Restaurierung des »Broodhuis«. Leider wurde das Gebäude durch spätere Erneuerungsarbeiten 1767 vollständig verpfuscht.

Zur Zeit der französischen Herrschaft veränderte das »Broodhuis« wieder seinen Namen. Es wurde als »Volkshuis« zum nationalen Besitz erklärt. Das Bildnis der Liebenfrau, die Inschrift und die Verzierungen vernichteten die Revolutionäre. Die Säle des Obergeschosses wurden durch den Kriegsrat, das Strafgericht und ein Schule für arme Kinder mit Beschlag belegt. Die Wache brachte man im Erdgeschoss unter. Die Stadt verkaufte das Broodhuis am 13. April 1811 an Marquis Arconati Visconti, der seinerseits 1817 das Haus an Simon Pick veräusserte. Dessen Tochter, die Frau des Malers Louis Gallait, gab 1860 das Gebäude als Geschenk an die Stadt zurück. Obwohl das »Broodhuis« verschiedentlich restauriert worden war, befand es sich in einem Zustand vorgeschrittenen Verfalls.

Die Stadtbehörde sah sich gezwungen es ganz abbrechen zu lassen und es wiedereinmal neu aufzubauen. Dieser Auftrag wurde dem Stadtarchitekten Victor Jamaer erteilt. Der Bau, der 1873 begonnen wurde, stand 1885 unter Dach. Im Erdgeschoss und im ersten Stock wurde die Finanzbehörde untergebracht. Erst 1895 konnte das Gebäude offiziell eingeweiht werden. Von 1885 bis 1895 wurde noch an den Verzierungen und den zahlreichen Skulpturen gearbeitet, die das Broodhuis zu einem der schönsten Bauwerke des Landes machen. Der Architekt rekonstruierte das Haus aus der Zeit Kaiser Karls und stützte zich hierbei auf den fälschlich Jacques Callot zugeschriebenen Stich sowie auf das Rathaus von Oudenaarde, eine Arbeit von Hendrik von Pede. An das Bauwerk aus dem 16. Jahrhundert fügte er die Ga-

gravure faussement attribuée à Jacques Callot, comme aussi de l'Hôtel de Ville d'Audenaerde édifié par Henri Van Pede. Il compléta l'œuvre du XVIe siècle par le placement des galeries contre la façade et par l'édification de la tour, travaux déjà prévus lors de la construction de 1515, mais non exécutés jusqu'alors.

Une série d'élégantes statuettes, dues au talent des sculpteurs Desenfans, Dillens, Dubois, de Tombay et De Groot, enrichissent la nouvelle construction. Sur les lucarnes, des hérauts d'armes dont les silhouettes élancées et fines se dressent fièrement dans le ciel.

Les pignons des rues des Harengs et Chair et Pain, sont ornés respectivement de statuettes personnifiant des gens de robe – en souvenir des Tribunaux qui siégeaient originairement dans l'immeuble – et les serments ou gildes militaires de Bruxelles : les serments de la Grande et de la Petite Arbalète, des arquebusiers et des escrimeurs; ces sociétés se réunissaient à la Maison du Roi. Celle-ci, construite sous le règne de Charles-Quint, période de splendeur pour notre cité, devait, au cours des siècles, être le théâtre d'événements importants. Nous avons passé déjà en revue les diverses occupations dont elle fut l'objet. C'est aussi dans cet immeuble, dans une pièce du second étage, que le comte d'Egmont passa sa dernière nuit.

La Maison du Roi abrite aujourd'hui, les collections de la ville. Le Musée communal y fut, en effet, installé au second étage et inauguré, le 2 juin 1887, à la suite d'un don et d'un legs faits par un mécène d'origine anglaise, John Waterloo Wilson.

En 1927, après le départ des services administratifs dont il a été question, la Maison du Roi fut entièrement affectée au Musée et, après réorganisation, ce dernier fut réouvert le 4 juin 1935.

Musée d'histoire et d'archéologie locales dont les collections content aux générations nouvelles l'histoire captivante tant politique qu'artistique et artisanale de notre cité, il possède de nombreuses pièces d'art de valeur incontestables, une documentation historique de tout premier ordre. Les deux retables bruxellois de la fin du XVe et du début du XVIe siècles, le Cortège de Noces de Pierre Bruegel l'ancien, les statues de prophètes provenant de l'Hôtel de Ville, l'importante collection de faïences et de porcelaines bruxelloises, ses orfèvreries, ses étains, ses tapisseries et ses dentelles de Bruxel-

toegeschreven gravure, evenals op het stadhuis van Oudenaarde, een werk van Hendrik van Pede. Aan het 16de-eeuwse bouwwerk voegde hij de galerijen van de voorgevel toe, evenals de toren, werken die in de oorspronkelijke constructie van 1515 voorzien, maar nooit uitgevoerd werden.

Een reeks elegante beeldjes, vervaardigd door de beeldhouwers Desenfans, Dillens, Dubois, de Tombay en De Groot, versierden de nieuwbouw. Boven op de dakvensters, werden wapenherauten aangebracht, waarvan de slanke silhouetten zich tegen de lucht aftekenen. De gevels langs de Haring- en de Vlees-en-Broodstraten zijn versierd met beelden van magistraten – in herinnering aan de rechtbanken die oorspronkelijk in het gebouw zitting hielden – en van sermenten of militaire gilden van Brussel : de gilde van de grote en van de kleine kruisboog, van de haakbusdragers, van de schermers. Deze gilden hadden hun vergaderingen immers in het Broodhuis. Oorspronkelijk opgericht ten tijde van Keizer Karel, m.a.w. tijdens een periode van grote welvaart, was het Broodhuis door de eeuwen heen het toneel van heel wat belangrijke gebeurtenissen. Wij hadden het reeds over de diverse bezettingen van het gebouw. In een kamer op de eerste verdieping, bracht de graaf van Egmont zijn laatste nacht door. Hij werd, samen met zijn lotgenoot, de graaf van Hoorn, onthoofd op een schavot, dat voor de ingang van het gebouw was opgericht.

Thans worden in het Broodhuis de verzamelingen van de stad Brussel bewaard. Het stedelijk museum werd ingericht op de tweede verdieping en, ingevolge een schenking van de Engelse mecenas John Waterloo Wilson, op 2 juni 1887 ingehuldigd.

In 1927, en na het vertrek van de administratieve diensten, waarover wij het reeds hadden, werd het Broodhuis volledig omgevormd tot museum. Als dusdanig werd het opnieuw opengesteld op 4 juni 1935.

De historische en archeologische afdeling bevat talrijke waardevolle stukken, benevens een eersterangshistorische documentatie. Wetenschappelijk belangrijk op iconografisch gebied, dankt het Broodhuis zijn roem vooral aan zijn belangrijke verzameling Brussels poselein en faïencewerk, aan zijn goudsmeedwerk, tinnen voorwerpen, wandtapijten en Brusselse kant. Verder bezit het museum nog twee Brabantse retabels uit de 15de en 16de eeuw, de Bruidstoet van Bruegel de

a tower which had been planned for the 1515 model, but was never built.

A series of elegant small statues by Desenfans, Dillens, Dubois, de Tombay and De Groot adorn the new building. Heralds are standing, sharply, outlined, under the attic windows.

The galbes in the "rue des Harengs" and "rue Chair et Pain" are adorned with small statues representing respectively lawyers – recalling the fact that tribunals originally operated there – and Brussels military guilds : those of the large, and of the small cross-bow, of the arquebusiers, and the swordsmen. These companies used to meet in the "Maison du Roi".

The latter, which was built during the reign of Charles the Fifth, a glorious period in the anuals of the city, was to witness many major events in times to come. We already have reviewed its various utilisations. In the building, on the second floor, the earl of Egmont spent his last night. The next day, he was beheaded – together with his unfortunate companion, the earl of Hornes – on a scaffold erected in front of the building's entrance.

Today the "Maison du Roi" houses the city's collections, – the depositories of the city's political and artistic past.

Thanks to a gift and an endowment from John Waterloo Wilson, a maecenas of English descent, the museum was installed on the second floor, and opened on June 2, 1887.

In 1927 the city financial services moved out, and the whole building was re-arranged as a museum. It was re-opened an June 4, 1936.

It is a museum of local history and archeology. Its collections illustrate the city's political record, as well as the achievements of its craftsman.

Its treasures include several major works of art, and historical archives of great importance. Among the former there are two Brussels altarpieces of the 15th and the early 16th centuries; the Wedding Cortège by Peter Bruegel the Elder; the statues of the prophets from the city hall; a major collection of Brussels pottery, china, plate and jewellery, pewters, tapestries, and lace which

lerien des Vorgiebels, sowie auch den Turm, welche beide der ursprüngliche Entwurf aus dem Jahre 1515 vorsah, die aber damals nicht ausgeführt wurden. Eine Reihe geschmackvoller Figuren, geschaffen von den Bildhauern Desenfans, Dillens, Dubois, de Tombay und De Groot, schmückten den Neubau. Über den Dachfenstern wurden Herolde angebracht, deren schlanke Silhouetten sich gegen den Himmel abheben.

Die Fassaden längs der Rue des Harengs und Rue Chair et Pain sind geschmückt mit Skulpturen zur Erinnerung an die Richter, die früher in dem Gebäude ihre Sitzung abhielten, und an die Schützengilden von Brüssel, nämlich die Gilde der grossen und kleinen Armbrustschützen, der Hakenbüchsenträger und der Degenfechter. Diese Gilden hatten ihre Versammlungen ja im Broodhuis abgehalten. Ursprünglich erbaut zur Zeit von Kaiser Karl, also während einer Periode grossen Reichtums, war das Broodhuis jahrhundertelang der Schauplatz vieler wichtiger Ereignisse.

Wir hatten bereits von den verschiedenen Zwecken des Gebäudes gesprochen. In einem Zimmer des ersten Stockwerks verbrachte der Graf von Egmont seine letzte Nacht, bevor er, zusammen mit seinem Leidensgenossen, Graf van Hoorn, auf einem Schafott, vor dem Eingang des Gebäudes enthauptet wurde.

Jetzt werden im »Broodhuis« die Sammlungen der Stadt Brüssel aufbewahrt, die Zeugen der fesselnden Geschichte der Stadt auf politischem wie auch künstlerischem Gebiet, sind.

Das städtische Museum, im zweiten Stockwerk, wurde aus Anlass einer Schenkung des englischen Mäzens John Waterloo Wilson am 2. Juni 1887 eingeweiht. 1927, nachdem die Verwaltung, über die wir bereits berichteten, das Broodhuis verlassen hatte, wurde es vollständig zum Museum umgebaut. Als dieses wurde es aufs neue dem Publikum am 4. Juni 1935 zugänglich gemacht. Die geschichtlichen und archäologischen Abteilungen enthalten zahlreiche wertvolle Stücke, ausserdem eine ausserordentliche Schriftensammlung. Auch ist es wissenschaftlich auf ikonographischem Gebiet anerkannt. Doch verdankt es seine Bedeutung vor allem den umfangreichen Sammlungen von Porzellanen und Fayencen, Goldschmiedearbeiten, Zinngeschirr, Wandteppichen und Brüsseler Spitzen. Auch besitzt das Museum zwei Altarbilder aus dem 15. und 16. Jahrhundert, das Gemälde »Der Brautzug« von Brue-

les en font sa richesse et sa rénommée, tandis que son iconographie constitue son intérêt scientifique.

Par l'importance et la qualité de ses collections le Musée communal est un centre d'art et d'enseignement qui fait revivre aux yeux des visiteurs le passé glorieux de notre ville.

Oude en de profetenbeelden afkomstig van het Stadhuis.

Dank zij het belang en de kwaliteit van deze collecties, is het Broodhuis een kunst-en pedagogisch centrum geworden dat de bezoeker confronteert met het roemrijke verleden van Brussel.

account for its wealth and fame. Its iconographic resources are highly interesting to scientists.

The city museum is truly a source of artistic and historical knowledge for visitors who want to survey Brussels glorious past.

gel d.Ä. und Skulpturen der Propheten vom Rathaus.

Durch diese wichtigen und wertvollen Sammlungen ist das» Broodhuis« zugleich künstlerischer und pädagogischer Ort geworden, der den Besucher mit der interessanten Vergangenheit Brüssels bekanntmacht.

MAISONS DE LA GRAND-PLACE

Les façades des maisons qui entourent l'Hôtel de Ville et la Maison du Roi présentent les caractéristiques du style baroque italien. Le tempérament exubérant et bien personnel de nos artistes brabançons, leur amour du décor fastueux, tout en respectant la discipline classique de la première Renaissance, l'agrémente d'une ornementation abondante qui en fait un style propre à notre pays.

Dans toutes ces demeures des groupements corporatifs du XVIIIe siècle, nous retrouvons les mêmes éléments : superposition des trois ordres: dorique, ionique et corinthien; application du pilastre ou colonne engagée unique (dit ordre colossal); profusion d'ornements les plus divers, tels que vases, torchères, statues, médailles, cartouches, fleurs, fruits, trophées etc.; emploi presque constant du gable ou pignon, évolution du gable à redents ou à gradins des maisons flamandes des XVe et XVIe siècles; emploi, dans certaines maisons, de bandes horizontales et verticales, rappel de la construction en colombage des maisons médiévales; application, pour certaines, d'éléments propres au style Louis XIV.

A tous ces éléments, il convient d'en ajouter un, non moins important : l'emploi, à profusion, de la dorure qui donne, à ces demeures démocratiques, un air de richesse en rapport avec la situation florissante de ces corporations et de la ville même à cette époque.

Pour bien se pénétrer des idées qui animent l'œuvre architecturale de toutes ces constructions, il faut songer à la formation professionnelle de ceux qui, à la fin du XVIIe siècle, furent chargés de reconstruire ce que le bombardement de Villeroy avait détruit. A cette époque, en effet, l'architecture était pratiquée par des tailleurs de pierre, dont le talent d'architecte était le plus souvent conditionné, influencé par leur véritable profession.

Examinons, très brièvement, chacune de ces maisons qui, toutes,

DE HUIZEN VAN DE GROTE MARKT

De gevels van de huizen, die het Stadhuis en het Broodhuis omringen, vertonen de kenmerken van de Italiaanse barok. Het overmoedige en zeer persoonlijke temperament van onze Brabantse kunstenaars, hun zin voor feestelijke decors, samen met de klassieke discipline van de vroeg-renaissance, heeft ons begiftigd met een overvloedige versiering, tegelijkertijd met een ons land zeer eigen stijl.

In al deze woningen, betrokken door de 18de-eeuwse gilden, vinden wij dezelfde elementen terug : opeenstapeling van de drie orden : de dorische, de ionische en de korintische orden; toepassing van de ingewerkte kolom of pijler (kolossale orde); overdaad aan de meest diverse versiering : vazen, toortsen, beelden, medailles, cartouches, bloemen en vruchten, trofeeën enz.; het omzeggens constante gebruik van de punt- of trapgevel, uitloper van de 15de en 16de-eeuwse Vlaamse trapgevel; gebruik ook nog, in sommige huizen, van horizontale en vertikale banden, een herinnering aan de middeleeuwse vakbouw; gebruik voor sommige huizen van elementen die eigen zijn aan de Lodewijk XVI-stijl. Bij al deze elementen moeten wij er nog een voegen dat even belangrijk is : het veelvuldige gebruik van verguldsel. Dit verleent aan deze democratische woningen een rijk aspect, overeenkomstig de voorspoedige situatie van de gilden en van de stad zelf. Om zich een beeld te vormen van de ideeën die aan de basis liggen van de architectuur dezer gebouwen, volstaat het de beroepsvorming te kennen van al diegenen die, omstreeks het einde van de 17de eeuw, belast waren met de wederopbouw van wat door het bombardement van de Villeroy was vernield geworden. Tijdens deze periode immers, werd de architectuur beoefend door beeldhouwers, schrijnwerkers, meubelmakers, schilders, metsers en steenhouwers, waarvan het talent van architect vaak werd beïnvloed door hun werkelijk beroep.

THE HOUSES ON THE GRAND-PLACE

The facades of the houses surrounding the city hall and the "Maison du Roi" are in the Italian baroque style. Because of their exuberant, highly personal temperament and their love for splendid settings, the Brabant artists, while respecting the classical discipline of the first Renaissance, gave it an abundant ornamentation that belongs to the local style.

In all those houses, occupied in the 18th century by professional corporations, we notice identical elements: a superposition of three orders – doric, ionic, and corinthian –, the use of single, embedded pillars or columns (also called "colossal order"); a profusion of various ornamental devices – vases, statues, medals, tablets, flowers, fruit, trophies, etc. –; the almost constant use of gables, derived from the cusps and tiers in Flemish 15th and 16th century houses; the use, here and there, of horizontal or vertical strips reminiscent of medieval half-timbered constructions; and the selection, from time to time, of elements belonging to the Louis XIV style.

All these elements are completed by a major overall feature : the lavish use of gilding, by which these bourgeois houses take on an aristocratic air, in conformity with the wealth of the guilds concerned, and of the city itself.

In order to understand the concept behind these architectural constructions, one should be aware of the professional training of the people who, at the end of the 18th century, were commissioned to re-build what de Villeroy had destroyed. In those days architecture was a matter for sculptors, carpenters, cabinet-makers, painters, masons, stone cutters, whose skills as architects were deeply infuenced by their real professions.

We will review succinctly these houses. They all have retained their names, or old identification signs,

DIE HÄUSER DES GROSSEN MARKTS

Die Fassaden der Häuser, die Rathaus und Broodhuis umgeben, zeigen die Merkmale des italienischen Barocks. Das übermütige und sehr persönliche Temperament unserer Brabantischer Künstler, ihr Sinn für schwungvolle Verzierungen, zusammen mit der klassischen Harmonie der Frührenaissance, hat uns mit einer Fülle von Ornamentik beschenkt, zugleich mit einem für unser Land sehr eigenen Stil. In allen diesen Häusern, die die Zünfte des 18. Jahrhunderts bezogen hatten, finden wir dieselben Elemente wieder. Die Anhäufung der drei Stile, des dorischen, ionischen und korinthischen, die Anwendung der eingearbeiteten Säulen oder Pfeiler (Kolossalordnung), Überfluss der verschiedenartigsten Ornamente.

Wir finden Vasen, Fackeln, Figuren, Medaillons, Kartuschen, Blumen und Früchte, Trophäen usw., den allgemeinen Gebrauch des Spitz- und Treppengiebels, Ausläufer des flämischen Treppengiebels des 15. und 16. Jahrhunderts. Wir sehen auch bei manchen Häusern die Anwendung von horizontalen und vertikalen Bändern, eine Erinnerung an den mittelalterlichen Fachwerkbau.

Bei einigen Häusern entdeckt man Wesenszüge, die typisch für den Louis-XVI-Stil sind. Bei allen diesen Elementen müssen wir noch eines hinzufügen, das ebenso wichtig ist, nämlich den vielfachen Gebrauch der Vergoldung. Diese gibt den vom Volk genutzten Wohnungen ein reiches Aussehen, entsprechend der günstigen wirtschaftlichen Lage der Gilden und der Stadt selbst. Um sich ein Bild zu machen von den Ideen, die der Architektur dieser Gebäude zu Grunde lagen, muss man die Berufe derjenigen kennen, die um das Ende des 17. Jahrhunderts, nach dem Beschuss von de Villeroy mit dem Wiederaufbau beauftragt waren. In dieser Periode waren nämlich oft Bildhauer, Tischler, Schreiner, Maler, Maurer und Steinmetzen zugleich Baumeister und liessen sich durch ihren eigentlichen Beruf unverkennbar beeinflussen.

ont conservé leur dénomination ou enseigne « parlante » du temps jadis, charmant système d'identification qui laissait, à l'imagination de l'artiste, le loisir de créer des motifs pittoresques.

De toute la place, le groupe de maisons de la partie inférieure (côté droit face à l'Hôtel de Ville) mérite toute notre attention. Ces demeures sont parmi les plus belles, les plus originales : « Le roi d'Espagne », « La Brouette », « Le Sac », « La Louve », « Le Cornet » et « Le Renard », construites déjà au XIVe siècle – à l'exception du « Roi d'Espagne » – sur le terrain de l'ancien domaine des Serhuyghs, dont le steen existait encore, en 1695, au coin de la rue au Beurre et de la Grand-Place.

LE ROI D'ESPAGNE, ou maison des boulangers, occupe l'emplacement de ce steen dont il vient d'être question. Construite de 1696 à 1697, d'après les plans attribués à Jean Cosyn, à qui l'on doit la décoration de la façade d'une ordonnance plus simple, plus classique que ses voisines immédiates.

Au-dessus de la porte d'entrée, un buste de l'évêque saint Aubert, patron des boulangers; au centre du deuxième étage, un imposant trophée avec, en son milieu, le buste de Charles II, roi d'Espagne, buste qui se détache sur un fond de drapeaux turcs. Tout autour, des fûts de canons et, plus bas, sur les rampants du fronton, deux figures de maures enchaînés; également une inscription : « Den Coninck van Spagnien ». Sur la balustrade qui ceinture la toiture, six statues personnifiant l'Eau, le Vent, le Feu, l'Agriculture, la Prévoyance et la Force.

LA BROUETTE ou « Het Vettewariershuys » ou « Cruywagen », fut la maison des graissiers. Ceux-ci, constitués en corporation, dès 1365, achetèrent, en 1439, une maison dénommée « La Brouette » et dont la façade était encore en bois. Ils reconstruisirent l'immeuble en pierre, en 1644; détruite, en partie, par le bombardement de 1695, la maison fut restaurée, de 1696 à 1697.

C'est Jean Cosyn qui fut chargé de cette restauration; il maintînt telle quelle toute la partie inférieure qui avait été épargnée par le feu et conçut probablement le gable, d'architecture nettement différente du reste.

Laat ons nu een kort overzicht wijden aan elk dezer huizen die, alle, hun oorspronkelijke benaming of uithangbord uit vroegere tijden hebben bewaard, een bekoorlijk identificatiesysteem, dat het aan de verbeelding van de kunstenaar overliet, pittoreske taferelen te creëren.

De benedengroep (rechterkant, wanneer men voor het Stadhuis staat), verdient onze volle aandacht. De huizen van deze groep behoren tot de mooiste en meest originele van de Grote Markt : De Koning van Spanje, De Kruiwagen, De Zak, De Wolvin, De Hoorn, De Vos. Met uitzondering van de Koning van Spanje, werden al deze huizen gebouwd tijdens de 16de eeuw, op het terrein van het oude domein Serhuyghs, waarvan het steen, op de hoek van de Boterstraat en van de Grote Markt, in 1695 nog bestond.

DE KONING VAN SPANJE, of het huis der bakkers, staat op de plaats van het voornoemde steen en werd gebouwd tussen 1696 en 1697, naar plannen die worden toegeschreven aan Jan Cosyn. Deze laatste zorgde ook voor de gevelversiering, die soberder en overigens meer klassiek is dan die van de nabuurhuizen.

Boven de ingangsdeur is een borstbeeld aangebracht van Sint-Aubertus, patroon van de bakkers. In het midden van de tweede verdieping bevindt zich een imposante trofee met, in het centrum ervan, het borstbeeld van Karel II, koning van Spanje. Deze buste staat voor een achtergrond van Turkse vlaggen. Er omheen zijn kanonlopen aangebracht en, lager, op de hellingen van het fronton, twee figuren van geketende moren. De inscriptie luidt : 'den Coninck van Spagnien'. Op de balustrade, die het dak omringt, staan zes beelden, personificaties van het water, de wind, het vuur, de landbouw, de bedachtzaamheid en de macht.

DE KRUIWAGEN of 'Het Vettewariershuys', was het huis der vetsmelters. In een gilde verenigd sedert 1365, kochten ze in 1439 het huis 'De Cruywaghen'. De gevel hiervan was nog in hout opgetrokken. In 1644 bouwden ze een nieuw stenen huis op de plaats van het oude. Gedeeltelijk vernield tijdens het bombardement van 1695, werd het huis gerestaureerd van 1696 tot 1697.

Jan Cosyn werd met de restauratie belast. Hij behield de nog bestaande benedenverdieping die door het vuur was gespaard gebleven en ontwierp naar alle waarschijnlijkheid de voor-

which served as a cue to the artists for their ornamentation.

Highly striking are the houses on the right hand side, when one faces the city hall. They are among the finest and most original ones : "Le Roi d'Espagne" (the King of Spain), "La Brouette" (the wheel-barrow), "Le Sac" (the sack), "La Louve" (the she-wolf), "Le Cornet" (the horn), "Le Renard" (the fox). All of them – except for "Le Roi d'Espagne" – existed as far back as the 14th century, having been built on the site of the old Serhuygs estate, whose stone building still stood in 1695, at the corner of the Grand-Place and the rue au Beurre.

"LE ROI D'ESPAGNE", or bakers' house, now occupies the site of the aforesaid stone building. It was erected in 1696-1697, on drafts attributed to Jean Cosyn, who designed its façade in a more sober and classical manner than its immediate neighbours.

Over the entrance stands the bust of bishop St-Aubert, patron saint of the bakers. In the middle of the second floor : an imposing trophy, with the central bust of Charles II, King of Spain, against a background of Turkish flags. Around it, gun-carriages and, on a lower level, on the slopings of the pediment, two Moors in chains, together with the inscription : "den Coninck van Spagnien". On the balustrade circling the roof, six statues symbolise Water, Wind, Fire, Agriculture, Foresight, and Power.

"LA BROUETTE", or "Het Vettewariershuys", or "Cruywagen" (wheel barrow) was the house of the greasers who, having grouped themselves in a guild in 1365, bought a house with a wooden façade, called "La Brouette", in 1439. In 1644, they re-built the house in stone. It was partly destroyed by bombing in 1695, and restored in 1696-1697.

Jean Cosyn was in charge of the restoration. He kept the lower part, that had not been damaged by fire, intact, and probably designed the gable, which is different, in architectural terms, from the rest of the building.

Wir wollen jedem dieser Häuser, die alle ihren ursprünglichen Namen oder ihr typisches Aushängeschild aus früheren Zeiten bewahrt haben, eine kurze Übersicht widmen. Ein reizvolles Erkennungssystem, welches es der Phantasie des Künstlers überliess, pittoreske Szenen zu schaffen.

Die untere Gruppe, (die der rechten Seite, wenn man vor dem Rathaus steht) verdient unsere volle Aufmerksamkeit. Die Häuser hier gehören zu den schönsten und originellsten des Grossen Markts : »Der König von Spanien«, »Der Schubkarren«, »Der Sack«, »Die Wölfin«, »Das Horn«, »Der Fuchs«. Diese Häuser, mit Ausnahme des »Königs von Spanien« wurden alle während des 16. Jahrhunderts auf dem Gebiet des alten Gutes Serhuyghs erbaut, auf welchen bis 1695 an der Ecke Rue du Beurre und Grossen Markt gelegen, noch »het Steen« stand.

Der »KÖNIG VON SPANIEN« oder das Haus der Bäcker, steht an der Stelle des oben genannten »Steen« und wurde zwischen 1696 und 1697 nach Plänen, die Jan Cosyn zugeschrieben werden, erbaut. Letzter sorgte auch für die Fassadenverzierung, die schlichter und klassischer ist als die der Nachbarhäuser. Über dem Eingang ist eine Büste des Hl. Aubertus, des Schutzheiligen der Bäcker, angebracht. In der Mitte des zweiten Stockwerks befindet sich eine imposante Trophäe mit einer Büste Karls II., König von Spanien im Mittelpunkt. Die Büste steht vor einem Hintergrund von türkischen Fahnen, die von Kanonenläufen umgeben sind. Tiefer, an der Neigung des Frontispiz sieht man zwei gefesselte Mohren. Die Inschrift lautet : »den Coninck van Spagnien«. Auf der Balustrade, die das Dach umringt, stehen sechs Skulpturen, welche das Wasser, den Wind, das Feuer, den Landbau, die Vorsicht und die Macht vorstellen.

DER SCHUBKARREN oder »Het Vettewariershuys« war das Haus der Fettwarenhändler, die sich 1365 zu einer Zunft zusammenschlossen und 1439 das Haus, den Schubkarren, ankauften. An Stelle dieses alten, hölzernen Hauses baute man 1644 ein neues steinernes. Dieses wurde, da es teilweise durch die Beschiessung von 1695 vernichtet wurde, von 1696 bis 1697 restauriert. Mit der Restaurierung beauftragte man Jan Cosyn.

Er liess das vom Feuer verschonte untere Stockwerk stehen und entwarf aller Wahrscheinlichkeit nach die Fassade, die architektonisch

On peut voir, au pignon, dans une niche, la statue de saint Gilles, patron des graissiers.

gevel, die, architecturaal, sterk verschilt van de rest van het gebouw. Op de puntgevel, en in een nis, staat het beeld van Sint-Gillis, patroon van de vetsmelters.

A nook on the gable houses a statue of St-Gilles, patron saint of the greasers.

stark von dem übrigen Gebäude abweicht. Auf dem Spitzgiebel, in einer Nische, steht das Bild des Hl. Gillis, des Schutzheiligen der Fettwarenhändler.

LE SAC, construite, comme la précédente, sur le domaine des Serhuyghs, devint au XVe siècle, le local de la corporation des ébénistes, tonneliers et menuisiers; ceux-ci s'étaient déjà constitués en corporation, en 1365.

A l'exemple de « La Brouette », cette association fit édifier, en 1644, un nouvel immeuble, au même emplacement existant. Malheureusement, comme pour beaucoup de ses voisins, la nouvelle construction eut à souffrir du bombardement de 1695; elle fut restaurée, sans retard, par Antoine Pastorana qui, maintenant l'ordonnance primitive, n'eut à reconstruire que la partie supérieure.

La partie inférieure, de conception classique, à la décoration sobre, contraste avec la partie supérieure surchargée d'ornements. Pastorana, qui était ébéniste de profession, a fait emploi, dans la décoration de la façade de l'immeuble, des principes appliqués dans la construction décorative des bahuts.

A cet égard, le gable, qui rappelle les pignons flamands à redents, est décoré à profusion, de torchères, vases, coquilles, guirlandes de fleurs et de fruits, chers à nos artistes bruxellois. La date de restauration, 1697, figure sur le gable et, au-dessus de celui-ci, un globe surmonté d'un compas.

DE ZAK: evenals De Kruiwagen gebouwd op het domein Serhuyghs, werd De Zak in de 15de eeuw, het lokaal van de gilde der meubelmakers, kuipers en schrijnwerkers. Deze vormden reeds een gilde sedert 1365.

Naar het voorbeeld van De Kruiwagen, liet deze vereniging in 1644 een nieuw gebouw oprichten op dezelfde plaats. Helaas had het huis, evenals de overige gebouwen, veel te lijden van het bombardement van 1695. Het werd gerestaureerd door Anton Pastorana, die de oorspronkelijke schikking bewaarde en enkel het bovenste gedeelte van het huis terug opbouwde. Het onderste gedeelte, dat klassiek is van opvatting en eerder sober versierd, staat in sterk contrast met het bovengedeelte dat overladen is met versieringen. Pastorana, die meubelmaker was van beroep, heeft in de gevelversiering elementen verwerkt die vooral eigen zijn aan de decoratieve kastversiering.

De puntgevel, die herinnert aan vele Vlaamse gevels, is dan ook overdadig versierd met toortsen, vazen, schelpen, bloemen en fruitslingers, elementen die onze Brusselse kunstenaars nauw aan het hart lagen. De herstellingsdatum, 1697, is op de gevel aangebracht. Deze wordt nog bekroond met een aardbol met passer.

"LE SAC" (the sack), erected, as was the previous one, on the Serhuyghs' estate, became the meeting place for cabinet-makers, coopers and carpenters, in the 15th century. They had set-up their guild in 1365.

Following the example of "La Brouette" the association commissioned the construction of a new house on the site of their old one. Like the adjoining building, the house was badly hit in 1695. It was immediately restored by Antoine Pastorana, who retained the lower part, and built a new upper part. The lower section, in a classical, sober design, stands in sharp contrast to the upper part, which is over-loaded with decorations. Pastorana, a professional cabinet-maker, has resorted to the technique of ornamented cabinet-making in working out this facade.

The gable, reminiscent of Flemish cusp design, is profusely decorated with cressets, vases, shells, garlands of flowers and fruit, so dear to Brussels artists.

The date of the restoration – 1697 – is mentioned on the gable, which is dominated by a globe, topped by a pair of compasses.

DER SACK. Ebenso wie der Schubkarren auf dem Gebiet des Gutes Serhuyghs erbaut, wurde dieses Gebäude im 15. Jahrhundert Versammlungsort der Gilde der Tischler, Küfer und Schreiner. Diese bildeten bereits seit 1365 eine Zunft.

Nach dem Vorbild des Schubkarres liessen auch sie 1644 ein neues Haus auf demselben Platz errichten. Auch dieses hatte – wie die übrigen Gebäude – viel zu leiden unter dem Beschuss. Es wurde restauriert durch Antoon Pastorana, der die ursprüngliche Anordnung beibehielt und nur den oberen Teil des Hauses wiederherstellte. Der untere Teil, klassisch in der Auffassung und ziemlich schlicht ausgeführt, steht in starkem Kontrast mit dem oberen Teil, der mit Verzierungen überladen ist. Pastorana, von Beruf Tischler, hat in der Fassade typische Ornamente verarbeitet, die vor allem bei Schränken verwendet wurden. Der Spitzgiebel, der an viele flämische Giebel erinnert, ist dann auch verschwenderisch geschmückt mit Fakkeln, Vasen, Muscheln, Blumen- und Früchtegirlanden, also Schmuckelemente, die unseren Brüsseler Künstlern so teuer waren. Am Giebel, der bekrönt wird durch einen Globus und einen Zirkel, ist das Datum 1697 der Restaurierung angebracht.

LA LOUVE, autre maison de notre forum, est déjà mentionnée, au XIVe siècle, sous le vocable « De Wolf ». Comme la plupart des immeubles de l'époque, elle était faite en bois. Le serment des archers en fit l'acquisition, au XVIIIe siècle; elle fut démolie, en 1641, et remplacée par une construction en pierre.

Détruite, par incendie, en 1690, elle fut reconstruite d'après les plans du peintre Pierre Herbosch, mais ne devait pas subsister longtemps; en effet, elle aussi fut fortement endommagée, cinq ans plus tard, par Villeroy. Elle fut restaurée suivant le plan original.

La façade de « La Louve – revêtant plus d'unité que celle du « Sac » et de « La Brouette » – s'apparente à la maison des boulangers (Roi d'Espagne), par son ordonnance classique et la sobriété de sa décoration. Sous le balcon, un bas-relief, œuvre du sculpteur Marc De Vos, une louve allaitant Romu-

DE WOLVIN: dit huis wordt reeds vermeld in de 14de eeuw, onder de benaming 'De Wolf'. Zoals de meeste gebouwen uit die tijd, was het uit hout opgetrokken. De boogschuttersgilde kocht het aan in de 17de eeuw. Het huis werd afgebroken en, in 1641, vervangen door een stenen constructie.

Door brand vernield in 1690, werd het heropgebouwd naar de plannen van de schilder Pieter Herbosch. Een lang leven was ook deze nieuwbouw niet beschoren. Hij werd vijf jaar later, tijdens het bombardement, zwaar beschadigd. De restauratie gebeurde naar het oorspronkelijke plan.

De gevel van De Wolvin, die meer eenheid vertoont dan deze van De Zak en van De Kruiwagen, is, zowel door zijn klassieke ordening als door de eenvoud van zijn decoratie, verwant met deze van De Koning van Spanje. Onder het balkon bevindt zich een bas-reliëf

"LA LOUVE" (the she-wolf) is already being mentioned as "de Wolf" in 14th century documents. In its first version – and like several others – it was made of wood. The archers'guild acquired it, in the 17th century. It was demolished in 1641, and replaced by a stone building.

It burnt down in 1690, and was rebuilt on designs from Pierre Herbosch, a painter. A few years later, it was heavily damaged by Villeroy, in 1695. The original designs were used for its restoration.

The "Louve"'s facade is more coherent than those of the "Sac" and the "Brouette". Its classical features and sober decoration reveal resemblances with those of the bakers'house ("Le Roi d'Espagne"). The bas-relief, under the balcony – a work by Marc De Vos, the sculptor – shows a she-wolf suckling Romulus and Remus. Four statues, on the second floor, symbolise Truth, Falseness, Peace, and Dis-

DIE WÖLFIN. Dieses Haus wurde bereits im 14. Jahrhundert, unter den Namen »Der Wolf« erwähnt.

Wie die meisten Häuser dieser Zeit bestand es aus Holz. Die Bogenschützengilde erwarb es im 17. Jahrhundert. Dieses Haus wurde abgebrochen und 1641 durch einen steinernen Bau ersetzt. 1690 wurde es durch Brand vernichtet und wieder aufgebaut nach Plänen des Malers Pieter Herbosch. Ein langes Leben war diesem Neubau nicht beschieden. Fünf Jahre später wurde es durch die Beschiessung schwer beschädigt. Die Restaurierung wurde nach dem ursprünglichen Plan durchgeführt.

Die Frontseite der »Wölfin«, die mehr Einheit als diese des »Sacks« und des »Schubkarrens« aufweist, ist sowohl durch seine klassische Anordnung, wie durch die Schlichtheit seines Schmucks mit dem «König von Spanien« zu vergleichen. Unter dem Balkon befindet sich ein

lus et Remus; au second étage, quatre statues symbolisant la Vérité, la Fausseté, la Paix et la Discorde; et, au sommet, un Phénix renaissant de ses cendres, avec l'inscription : « Combusta insignior resurrexi expensis Sebastianoe Guldoe », qui donne le millésime 1691, chronogramme rappelant l'époque de la restauration de l'immeuble.

LE CORNET, maison des bateliers, s'appelant originairement « Den Berg », existait déjà au XIIIe siècle. Faite de bois, il semble que c'est vers 1435 que les bateliers en firent l'acquisition et la baptisèrent « Le Cornet ».

Reconstruite en pierre, au XVIIIe siècle, elle subit le sort des autres maisons, lors du bombardement de 1695; elle fut réédifiée, en 1697, par Pastorana.

Cette construction, l'une des plus originales de la place, est de concept purement baroque. Si l'ordonnance classique se manifeste encore partiellement dans la répartition des zones horizontales et verticales, on n'y rencontre plus aucun plan droit; ce ne sont que courbes et... contre-courbes, éléments qui donnent à cette façade, cependant fort étroite, une impression de grandeur incontestable.

Terminée par un fronton des plus curieux, épousant la forme d'une poupe de navire du XVIIe siècle; au centre de ce gable et en médaillon, le buste de Charles II, roi d'Espagne. Entre le rez-de-chaussée et l'entresol, au centre, un bas-relief représentant un cornet.

LE RENARD ou « De Vos », du XIVe siècle, était également en bois. Acquise par les merciers organisés en corporation, au cours de la première moitié du XVe siècle, elle fut remplacée par une maison en pierre, vers la moitié du XVIIe siècle.

Détruite par le bombardement de 1695, elle fut rétablie en 1699. Construction originale, d'ordonnance classique, à la décoration abondante et fantaisiste du style baroque flamand, mais où se mêlent déjà quelques éléments nouveaux de décoration empruntés au style Louis XIV introduit chez nous au lendemain du bombardement.

Les plans de cette demeure sont attribués à Corneille Van Nerven, l'architecte de l'aile postérieure de l'Hôtel de Ville. Au-dessus du rez-de-chaussée, quatre bas-reliefs, de Marc De Vos, représentant des amours qui nous montrent cer-

van de beeldhouwer Mark De Vos, dat de wolvin voorstelt die Romulus en Remus voedt. Aan de tweede verdieping vier beelden, symbolen van de waarheid, de valsheid, de vrede en de tweedracht. Bovenaan, een phoenix die uit zijn as oprijst evenals de inscriptie : 'Combusta insignio resurrexi expensis Sebastianoe Guldoe', die het jaartal 1691, of het jaar van de restauratie weergeeft.

DE HOORN, of het huis van de schippers, heette oorspronkelijk 'Den Berg' en bestond reeds in de 13de eeuw. Het uit hout opgetrokken huis werd aangekocht door de schippers, die het zijn huidige vorm gaven. In steen heropgebouwd tijdens de 17de eeuw, onderging het gebouw het lot van de overige huizen tijdens het bombardement van 1695. Het werd heropgebouwd door Pastorana in 1697.

Deze constructie, een van de meest originele van de Grote Markt, is een zuivere barokconceptie. Hoewel de klassieke ordening nog gedeeltelijk tot uiting komt in de verdeling der horizontale en vertikale zonen, komt er geen enkel recht vlak in voor. Het is alles boog en tegenboog, elementen die de nochtans smalle voorgevel een uitzicht van grootsheid verlenen.

Bekroond met een eigenaardig fronton, dat zowat de vorm van een 17de-eeuws achterschip heeft, bevat de gevel, in het midden en in medaillon, het borstbeeld van Karel II, koning van Spanje. Tussen het gelijkvloers en de tussenverdieping komt, in het midden, een bas-reliëf voor dat een hoorn voorstelt.

DE VOS, dagtekenend uit de 14de eeuw, was eveneens een houtconstructie. Bij het begin van de 15de eeuw aangekocht door de in gildeverband georganiseerde garenhandelaars, werd het gebouw, omstreeks het midden van de 17de eeuw, vervangen door een stenen huis.

Vernield tijdens het bombardement, werd het heropgebouwd in 1699. Het is een originele constructie, klassiek in zijn ordening, met overvloedige en fantaisistische versiering in Vlaamse barokstijl.

Nochtans zijn ook enkele elementen ontleend aan de Lodewijk XVI-stijl die bij ons, kort na het bombardement, werden ingevoerd. De plannen van deze woning worden toegeschreven aan de architect Cornelis Van Nerven, architect van de achterbouw van het Stadhuis.

Boven het gelijkvloers bevinden zich vier bas-reliëfs van Mark De Vos. Ze stellen episodes voor die

cord. A phoenix reborn out of its own ashes adorns the top, with the inscription "Combusta insignior resurrexi expensis Sebastianoe Guldoe", which yields the chronogram 1691, the year of the restoration.

"LE CORNET" (the horn), the house of the boatmen, existed in the 13th century, under the name "Den Berg" (the mountain). It would seem that the boatmen acquired the wooden building around 1435, and called it "Le Cornet".

Re-constructed in stone during the 17th century, its underwent the fate of the other houses during the 1695 bombing. Restoration, by Pastorana, was completed in 1697.

The building – one of the most original on the square – is purely baroque in concept. It shows some faint reminiscences of classical architecture in the disposal of horizontal and vertical areas, but it has no straight features. Curves and counter-curves confer a striking monumentality to the façade, despite its narrowness.

It is dominated by an unusual pediment in the form of the stern of a 17th century ship with, in the centre, the inset bust of Charles the Second, King of Spain. Between the ground floor and the mezzanine, there is a bas-relief representing a horn.

"LE RENARD", or "de Vos" (the fox) also was a wooden construction in the 14th century. It was acquired by mercers'guild in the first half of the 15th century, and was rebuilt in stone in mid-16th century.

After its 1695 destruction it was restored in 1699 in a classical manner, but with a profusion of Flemish baroque ornamentation and, here and there, some elements from the Louis XIV style which was introduced in our regions shortly after the bombardement.

The house is said to have been designed by Corneille Van Nerven, the architect of the city hall's back wing. Over the ground floor, four bas-reliefs, by Marc De Vos, show cupids in mercers'occupations.

Five statues adorn the first floor : Justice (illustrating the scrupulous honesty demanded from traders in

Basrelief des Bildhauers Mark de Vos mit der Wölfin, die Remulos und Remus säugt. Am zweiten Geschoss sieht man vier Skulpturen, welche die Symbole der Wahrheit, der Falschheit, des Friedens und der Zwietracht darstellen. Darüber ist ein Phönix zu sehen, wie er aus der Asche aufersteht, mit der Inschrift »Combusta insignior resurrexi expensis Sebastianoe Guldoe«, die die Jahreszahl 1691 enthält.

DAS HORN oder das Haus der Schiffer. Es hiess ursprünglich »Der Berg« und stammte aus dem 13. Jahrhundert. Das aus Holz errichtete Gebäude wurde durch die Schiffer erworben, die ihm seine heutige Form gaben. Das im 17. Jahrhundert in Stein erbaute Haus, erlitt das Schicksal der übrigen Bauwerke während der Beschiessung 1695. Es wurde wiederaufgebaut durch Pastorana im Jahre 1697. Dieses Haus, eines der originellsten des Grossen Marktes, ist ein reiner Barockbau. Obwohl die Harmonie der Klassik noch teilweise in der Verteilung der Horizontalen und Waagerechten zum Ausdruck kommt, findet sich doch keine einzige rechteckige Fläche. Alles ist Bogen und Gegenbogen, was der ziemlich schmalen Hausfront eine gewisse Grossartigkeit verleiht. Bekrönt wird es durch ein eigenartiges Frontispiz, das ungefähr die Form eines Schiffhecks aus dem 17. Jahrhundert hat. In der Mitte des Giebels ist in einem Medaillon die Büste Karls II. König von Spanien, angebracht. Zwischen Erdgeschoss und Zwischenstock ist ein Basrelief eingelassen, welches ein Horn darstellt.

DER FUCHS stammt aus dem 14. Jahrhundert und war ursprünglich auch ein hölzerner Bau. Zu Beginn des 15. Jahrhunderts erwarb es die Gilde der Kurzwarenhändler. Es wurde ungefähr Mitte des 17. Jahrhunderts durch einen Bau aus Stein ersetzt.

Es wurde durch die Beschiessung vernichtet, aber 1699 wieder aufgebaut. Es ist ein origineller Bau, klassisch in seiner Harmonie mit einem üppigen und phantastischen Schmuck im flämischen Barockstil. Doch stammen noch einige Ornamente vom Louis-XVI-Stil, der kurz nach dem Beschuss bei uns aufkam Die Pläne dieses Hauses werden Cornelis Van Nerven, Schöpfer des hinteren Baus des Rathauses, zugeschrieben. Über dem Erdgeschoss befinden sich vier Basreliefs, von Mark de Vos, Sie stellen verschiedene Szenen aus dem Gewerbe der Kurzwarenhändler dar. An der Fas-

taines activités relevant de la profession de mercier.

Au 1er étage, cinq statues symbolisant respectivement : la Justice (qui indique le comportement scrupuleux à adopter par le commerçant à l'égard d'autrui); l'Afrique, l'Europe, l'Asie et l'Amérique (parties du monde connues à l'époque et d'où provenaient les produits vendus par les merciers).

Le second étage nous montre des cariatides qui y décorent les trumeaux des fenêtres. Quant au pignon, il se rattache, par la plupart de ses éléments, au style nouveau; il est surmonté de la statue de saint Nicolas, patron des merciers.

Voyons maintenant, en raccourci également, les immeubles qui constituent la partie supérieure de notre forum (côté gauche, face à l'Hôtel de Ville), de la rue Charles Buls à la rue des Chapeliers : l'Étoile, Le Cygne, l'Arbre d'Or, La Rose et Le Mont Thabor.

Tout comme celles que nous venons d'analyser, ces maisons sont fort intéressantes, tant par leur histoire et leur caractère que par leur beauté.

L'Étoile ou « De Sterre », est la plus petite et peut-être aussi la plus ancienne maison de la place; elle est déjà citée au XIIIe siècle.

C'est dans cette demeure que se tenait, au XIVe siècle, l'amman de la ville et c'est de la fenêtre supérieure de l'immeuble qu'il assistait aux exécutions capitales qui avaient lieu sur la Grand-Place.

En 1356, Louis de Male y fit flotter, en vainqueur, son étendard. C'est dans cette demeure également que fut transporté, en 1388, mutilé et mourrant, Everard 't Serclaes dont nous avons parlé précédemment.

Maison en bois, elle fut incendiée lors de la destruction de 1695 et reconstruite en pierre. Vers le milieu du XIXe siècle, elle fut démolie afin d'élargir, de ce côté, l'accès à la Grand-Place, décision des plus malheureuse mais qui fut réparée, grâce à l'intervention de Charles Buls. La maison fut, en effet, reconstruite à la fin du siècle précité.

De style très simple, sans ornementation, le gable, à fausses volutes, est terminé par un fronton triangulaire surmonté d'une étoile.

Deux plaques commémoratives ont été placées sous les arcades : l'une, inaugurée en 1899, en l'honneur du bourgmestre Charles Buls, est l'œuvre de Victor Rousseau; l'autre,

sommige aspecten van het garenhandelsbedrijf uitbeelden.

Op de eerste verdieping : vijf beelden, die respectievelijk de gerechtigheid (wijzend op de scrupuleuse houding die de handelaar t.o.v. anderen moet aannemen), Afrika, Europa, Azië en Amerika uitbeelden.

De tweede verdieping bezit een reeks kariatiden die tussen de vensters zijn aangebracht. Omwille van de meeste erin voorkomende elementen, knoopt de bovengevel aan bij de nieuwe stijl. Hij wordt bekroond door het beeld van Sint-Nikolaas, patroon van de garenhandelaars.

In het kort nog, een overzicht van de gebouwen die het bovenste gedeelte van de Grote Markt vormen (linker kant, wanneer men voor het Stadhuis staat), m.a.w. van de Karel Buls- tot de Hoedenmakersstraat. Het zijn : De Ster, De Zwaan, De Gulden Boom, De Roos en De Berg Thabor.

Deze huizen zijn even boeiend als die welke we zoëven hebben beschreven, en dat zowel van historisch als van esthetisch standpunt uit gezien.

De Ster : is het kleinste en ook het oudste huis van het plein. Het wordt reeds vernoemd in de 13de eeuw.

Het is vanuit deze woning dat, tijdens de 14de eeuw, de stadsamman de terechtstellingen volgde die op de Grote Markt werden voltrokken.

In 1356 hees Lodewijk van Maele er zijn vaandel als overwinnaar. Naar deze woning ook werd, in 1388, het verminkte lichaam overgebracht van de stervende Everard 't Serclaes, waarover wij het reeds hadden.

Oorspronkelijk opgetrokken uit hout, werd het huis door brand vernield in 1695 en nadien in steen heropgebouwd. Omstreeks het midden van de 19de eeuw werd het vernield, ter verbreding van de toegang tot de Grote Markt. Deze eerder ongelukkige ingreep werd te niet gedaan, dank zij het ingrijpen van Karel Buls, burgemeester van Brussel. Het huis werd heropgebouwd bij het eind van de vorige eeuw. Het is zeer eenvoudig in stijl en zonder versiering. De gevel, met schijnvoluten, eindigt op een driehoekig fronton, bekroond met een ster. Onder de arkaden ervan, werden twee herdenkingsplaten aangebracht : de ene, onthuld in 1899, ter herinnering aan burgemeester Karel Buls, is van de hand van Victor Rousseau; de andere, vervaardigd door Julien Dillen, werd

their relations with clients), Africa, Europe, Asia, and America (regions of the known world in those days, from where goods, sold by mercers, originated).

On the second floor, the window piers are decorated with caryatids. The gable is mainly in the new style. It is topped by the statue of St-Nicholas, patron saint of the mercers.

We now will survey succinctly the houses on the upper side of the square (left side, when facing the city hall) between the rue Charles Buls and the rue des Chapeliers : l'Étoile, Le Cygne, l'Arbre d'Or, La Rose and Le Mont Thabor.

Like the previous ones, they are of considerable interest, both by their history and their aesthetic features.

"L'Étoile", or "de Sterre" (the star) is the smallest, and perhaps the oldest house on the square. It was mentioned already in the 13th century. It used to be the residence of the city's haman, in the 14th century. From the house's top window he would watch executions, performed on the Grand-Place.

There, Louis de Malesy's standard was hoisted, after his victory. Everard 't Serclaes, severely maimed and dying, was transported into the house, in 1388.

The wooden construction was destroyed in the 1695 fire, and subsequently rebuilt in stone. The house was, unfortunately, demolished towards the middle of the 19th century, in order to widen the access to the Grand-Place. Charles Buls, however, saw to its reconstruction, at the end of the previous century.

The gable, with its mock volutes, is in a simple, un-ornamented style. It is dominated by a triangular pediment carrying a star. Two votive tablets have been placed under the arcade; one, unveiled in 1899, as a tribute to burgomaster Charles Buls, is by Victor Rousseau; the second one, by Julien Dillens,

sade befindet sich in de Höhe des ersten Stockwerks fünf Figuren, die die Gerechtigkeit (in Bezug auf die Redlichkeit, die der Händler gegenüber anderen einnehmen muss), Afrika, Europa, Asien und Amerika darstellen. Das zweite Geschoss hat eine Reihe Karyatiden zwischen den Fenstern. Wegen der am häufigsten vorkommenden Elemente, schliesst der obere Giebel bei dem neuen Stil an. Bekrönt wird er durch die Skulpturen des Hl. Nikolaus, des Schutzheiligen der Kurzwarenhändler.

Wir geben hier noch eine kurze Übersicht der Gebäude, die den oberen Teil des Grossen Markts begrenzen (die linke Seite, wenn man vor dem Rathaus steht), nämlich von der Rue Charles Buls bis zur Rue des Chapeliers.

Es sind »Der Stern«, »Der Schwan«, »Der goldene Baum«, »Die Rose« und »Der Berg Thabor«. Diese Häuser sind genau so interessant wie jene. die wir oben beschrieben haben und dies sowohl in historischer wie ästhetischer Sicht.

Der Stern ist das kleinste und auch älteste Haus vom Grossen Markt.

Es wird bereits im 13. Jahrhundert erwähnt. Im 14. Jahrhundert folgte der Stadtdrost von dieser Wohnung aus den Hinrichtungen, die auf dem Grossen Markt vollzogen wurden.

1356 hisste Lodewijk van Maele hier seine Fahne als Sieger. In dieses Haus brachte man 1388 auch den verstümmelten und sterbenden Everard 't Serclaes, über den wir bereits oben gesprochen hatten. Ursprünglich in Holz erbaut und 1695 durch Brand vernichtet, wurde es danach in Stein neu errichtet. Ungefähr in der Mitte des 19. Jahrhundert wurde es abgerissen, um Platz zu gewinnen für die Verbreiterung des Zugangs zum Grossen Markt. Dieser eigentlich unglückliche Eingriff wurde wieder gutgemacht durch Zutun des Bürgermeisters von Brüssel, Charles Buls, indem das Haus gegen Ende des vorigen Jahrhunderts wiederaufgebaut wurde. Es ist sehr einfach gehalten und ohne Schmuck.

Der Giebel mit Scheinvoluten mündet in einem dreieckigen Frontispiz mit einem Stern. In den Arkaden vor dem Haus wurden zwei Gedenktafeln angebracht. Die eine, enthüllt in 1899, zur Erinnerung an Charles Buls, ist eine Arbeit von Victor Rousseau; die andere wurde von

due au talent de Julien Dillens, rappelle la mémoire d'Everard 't Serclaes, illustre échevin de la ville.

LE CYGNE, « De Zwane », construction en bois, était située au milieu d'un jardin; elle fut rebâtie, en 1523, dans l'alignement des autres maisons.

Comme ses consœurs, elle fut détruite en 1695. Un particulier, Pierre Fariseau, la fit reconstruire en pierre, en 1698, et plus tard, en 1720, elle devint la maison de la corporation des bouchers.

Complètement différente des autres maisons, la superposition des ordres, la profusion d'ornementation, font place à une ordonnance simple, avec peu de décoration, s'inspirant du style Louis XIV.

Au-dessus de la porte d'entrée, un magnifique cygne; sur la toiture, se détachent trois statues représentant l'Abondance, l'Agriculture et la Boucherie.

L'ARBRE D'OR qui s'appelait, au XIIIe siècle, « De Hilde » (La Colline), a appartenu, au XVe siècle, d'abord aux tanneurs, puis aux tapissiers. Reconstruite en pierre, au XVIe siècle, elle subit le sort des autres maisons, en 1695, et fut rebâtie par les soins des brasseurs, suivant les plans de Guillaume De Bruyn.

Ce dernier a appliqué ici, pour la première fois, le style colossal pour lequel il avait une préférence marquée et que nous retrouverons encore dans d'autres maisons de la place, dont il est l'auteur, d'un effet somptueux, à l'ordonnance classique, au décor abondant, d'inspiration toute flamande.

Le fronton est surmonté d'un énorme piédestal sur lequel se trouvait jadis une statue équestre de l'Électeur Maximilien-Émmanuel de Bavièıe, œuvre de Marc De Vos; cette statue fut remplacée, en 1752, par celle de Charles de Lorraine, mais disparut avec l'invasion des Français. L'actuelle statue équestre fut exécutée, en 1854, par Jaquet.

Quant aux bas-reliefs, œuvres de Pierre Van Dievoet, ils nous montrent les Vendanges, le Transport de la Bière et la Cueillette du Houblon.

LA ROSE et LE MONT THABOR (actuellement «Aux Trois Couleurs»), toutes deux sont des maisons d'ordonnance classique, bien proportionnées, où l'on retrouve tous les éléments caractéristiques déjà cités du style flamand du XVIIe siècle. Elles représentent, l'une et l'autre, le type d'habitation bourgeoise de cette époque.

aangebracht ter nagedachtenis van Everard 't Serclaes, schepen van de stad.

DE ZWAAN : een houten gebouw, lag midden in een tuin. Het huis werd, in lijn met de andere huizen, heropgebouwd in 1523.

Verwoest tijdens het bombardement van 1695, liet een burger, Pieter Fariseau, het in steen heropbouwen in 1698. Later, in 1720, werd het de zetel van de gilde der beenhouwers.

Het gebouw verschilt volledig van de andere huizen. De opeenvolgende orden en de overdadige ornamentatie ruimen hier de plaats voor een eenvoudige geleding met weinig versiering en geïnspireerd door de Lodewijk XVI-stijl.

Boven de deur is een prachtige zwaan aangebracht en op het dak, drie beelden die de overvloed, de landbouw en de beschaving voorstellen.

DE GULDEN BOOM die tijdens de 13de eeuw 'De Hilde' heette (heuveltje) behoorde eerst toe aan de leerlooiers (15de eeuw), dan aan de tapijtwevers. In steen heropgebouwd tijdens de 16de eeuw, werd het huis vernield in 1695 en heropgebouwd, dank zij de brouwers en volgens de plannen van Willem De Bruyn.

Deze laatste pastte hier, voor de eerste maal, de kolossale stijl toe, waarvoor hij een uitgesproken voorkeur had en die we terugvinden in andere huizen van de Grote Markt waarvan hij de bouwer was.

De kentekenen : een rijk effect, klassieke ordening, overvloedig decor, een volledig Vlaamse inspiratie.

Het fronton wordt bekroond door een enorm voetstuk dat destijds het ruiterbeeld droeg van keurvorst Maximiliaan Emmanuel van Beieren, een werk van Mark De Vos. Het beeld werd, in 1752, vervangen door dat van Karel van Lorreinen, maar verdween tijdens de Franse invasie. Het huidige beeld werd in 1854 gemaakt door Jacquet.

De bas-reliëfs, het werk van Pieter Van Dievoet, tonen : de wijnoogst, het vervoer van het bier en het plukken van de hop.

DE ROOS en DE BERG THABOR (thans 'In de drie kleuren') : de beide huizen vertonen een klassieke ordening en hebben goede verhoudingen. Wij vinden er alle karakteristieke elementen in terug van de Vlaamse 17de-eeuwse stijl.

Het zijn goede voorbeelden van burgerwoningen van die tijd.

is to the memory of Everard 't Serclaes, the destinguished city alderman.

"LE CYGNE", "de Zwane" (the swan), originally a wooden building, was located in the centre of a garden. The reconstruction, in 1523, set it in line with the other houses.

It was destroyed, like the others, in 1695. Pierre Fariseau, a private citizen, commissioned its reconstruction in stone, in 1698. Later – in 1720 – it became the seat of the butchers'guild.

It is entirely different from the other houses with their superimposition of styles and their ornamentation. Its simple day-out and sparse decoration show the influence of Louis XIV style.

A magnificent swan dominates the entrance. The roofing is adorned with statues symbolising Abundance, Agriculture, and the Butchers' Trade.

"L'ARBRE D'OR" (the golden tree), which was called "de Hilde" (the hill) in the 13th century, belonged in succession to the tanners, and later to the taperty weavers in the 15th century. The 16th century stone building underwent the common fate in 1695. The brewers commissioned its reconstruction, in 1699, after designs by Guillaume De Bruyn.

He used here, for the first time, the so-called colossal order for which he had a marked predilection and which is also to be noted in other houses by him on the square. It produces a sumptuous effect, by its juxtaposition of classical design and abundant, Flemish ornamentation.

The pediment carries an enormous pedestal on which there stood, in earlier days, an equestrian statue of the Elector Maximilian-Emmanuel of Bavaria, by Marc De Vos. It was replaced, in 1752, by a statue of Charles of Lorraine, that disappeared during the French invasion. The present equestrian statue was made by Saquet, in 1854.

The bas-reliefs – by Pierre Van Dievoet – represent the Vine-Harvest, the Transport of Beer, and the Picking of Hop.

"LA ROSE" (the rose) and "LE MONT THABOR" (Mount Thabor) now "Aux trois couleurs" (in the three colours) are both well proportioned buildings in the classical manner, showing all the already mentioned features of Flemish 17th century style. These are characteristic bourgeois residences of the period.

Julien Dillen geschaffen zum Andenken an Everard 't Serclaes, Ratsherr der Stadt.

DER SCHWAN war ursprünglich ein hölzernes Haus und lag in einem Garten. Das Haus wurde in einer Linie mit den anderen Häusern 1523 wiederaufgebaut. Nach der Verwüstung durch die Beschiessung von 1695 liess der Bürger Pieter Fariseau es 1698 in Stein wieder aufbauen.

Später, 1720, wurde es der Sitz der Fleischergilde. Dieses Gebäude unterscheidet sich völlig von den anderen Häusern. Die verschiedenen Stile und die üppigen Ornamente machen hier Platz für eine einfache Gliederung mit wenig Schmuck und nur inspiriert vom Louis-XVI-Stil.

Über der Tür ist ein prächtiger Schwan angebracht und auf dem Dach stehen drei Skulpturen, die den Überfluss, den Landbau und die Zivilisation darstellen.

DER GOLDENE BAUM, der während des 13. Jahrhunderts »Das Hügelchen« hiess, gehörte erst den Gerbern (15. Jahrhundert), dann den Teppichwebern. Im 16. Jahrhundert wurde es in Stein wiederaufgebaut, wurde 1695 vernichtet und wiederum rekonstruiert mit Hilfe der Brauer und zwar nach Plänen von Willem de Bruyn. Dieser wandte hier zum ersten Mal den Kolosalstil an, für den er eine ausgesprochene Vorliebe hatte, und den wir in anderen Gebäuden des Grossen Markts, dessen Erbauer er war, wiederfinden.

Seine Merkmale sind ein reicher Effekt, klassische Ordnung, üppige Dekoration und völlig flämische Inspiration. Das Frontispiz wird gekrönt durch einen enormen Sockel, der damals das Reiterstandbild des Kurfürst Maximilian Emanuel von Bayern trug, eine Arbeit von Mark de Vos. 1752 wurde diese Skulptur ersetzt durch die von Karl von Lothringen, doch diese verschwand zur Zeit der französischen Besetzung. Die heutige Figur ist 1854 von Jacquet hergestellt worden. Die Basreliefs, Arbeiten von Pieter van Dievoet, stellen die Weinernte, den Transport des Bieres und die Hopfenernte dar.

DIE ROSE und DER BERG THABOR, jetzt »Zu den drei Farben«. Beide Häuser zeigen eine klassische Anordnung, haben gute Proportionen und die typischen Elemente des flämischen Stils des 17. Jahrhunderts.

Sie sind gute Beispiele für die Bürgerhäuser dieser Zeit.

LA MAISON dite LES DUCS DE BRABANT, vaste bâtiment du haut de la place, se compose, en fait, d'un groupe de sept maisons réunies sous un même frontispice.

Nous pouvons distinguer, de la gauche vers la droite : La Bourse, La Colline, siège de la corporation des Quatre Couronnés qui groupait les tailleurs de pierre, les imagiers, les maçons et les ardoisiers; Le Pot d'Étain, maison des charpentiers; Le Moulin a vent, maison des meuniers, depuis le bombardement (elle avait été précédemment occupée par le serment de saint Georges, la Nation de saint Christophe, les gantiers); La Fortune, maison des tanneurs; l'Ermitage, maison des marchands de vin, des légumiers et, après 1695, elle devenait la maison des tapissiers et des drapiers; La Renommée, toute étroite et surmontée d'une renommée étincelante d'or.

Ces maisons, construites, vers 1441, sur l'ancien emplacement du Meynaertsteen – qui, comme son vis-à-vis le Serhuyghsteen, servait de défense au castrum de l'île Saint-Géry – étaient déjà groupées en une seule et même construction qui fut détruite en 1695. – Guillaume De Bruyn dressa les plans du nouvel édifice qui, comme le précédent, englobait les différents immeubles.

Construction un peu froide, imposante cependant, pleine de majesté, s'apparentant aux palais italiens. Mais original, ici, comme pour la maison des Brasseurs, l'architecte a fait emploi de l'ordre colossal; l'ordonnance classique est agrémentée de toute la gamme des éléments décoratifs représentatifs du style baroque flamand qui, une fois de plus, forme, avec l'architecture classique, une harmonieuse unité.

Le fronton actuel est l'œuvre de Dewez qui, en 1772, orna le tympan d'une allégorie représentant l'Abondance.

Entre le rez-de-chaussée et le premier étage, sous chaque pilastre, un buste des ducs de Brabant, d'où l'appellation de la maison.

LA BALANCE, à gauche de La Bourse, construction fort remarquable; superbe façade, d'ordonnance classique, à la décoration baroque flamande, dont l'origine remonte au début du XVIIIe siècle.

LE ROI DE BAVIÈRE, à droite de La Renommée, type de la maison bourgeoise du XVIIe siècle, mais où les principes de la Renaissance ne sont pas encore appliqués.

Het zogenoemde HUIS DER HERTOGEN VAN BRABANT is een langgestrekt gebouw, dat de hele bovenkant van de Grote Markt bezet. In werkelijkheid is het een reeks van zeven huizen achter eenzelfde voorgevel.

Van links naar rechts zijn dit : De Beurs, De Heuvel (zetel van de gilde van de Vier Gekroonden, die de steenhouwers, de beeldsnijders, de metselaars en de dakdekkers groepeerde), De Tinnen Pot (het huis der schrijnwerkers), De Windmolen (voorheen het huis van de schuttersgilde van Sint-Joris en van de handschoenmakers; na het bombardement, de zetel van de molenaars), De Fortuin (huis van de leerlooiers), De Kluis (huis der wijn- en groentehandelaars en, na 1695, dat der tapijt- en lakenwevers), De Faam (een zeer smal huis, bekroond met een schitterend verguld beeld dat de faam voorstelt).

Deze huizen, die na 1441 gebouwd werden op de plaats van het Neynaertsteen – dat, evenals het er tegenover gelegen Serhuygsteen instond voor de bescherming van het castrum van het Sint-Goriks-eiland – waren gegroepeerd in eenzelfde constructie die in 1695 werd vernield. De plannen van het nieuwe gebouw werden gemaakt door Willem De Bruyn.

Hoewel enigszins koel als architectuur, is het een imposant, statig gebouw, dat wel iets weg heeft van de Italiaanse paleizen. Zoals voor het Brouwershuis, werd ook hier beroep gedaan op de kolossale orde, waarbij de klassieke ordonantie wordt opgevrolijkt door een hele reeks decoratieve elementen van de Vlaamse barokstijl. Eens te meer verwezenlijkte deze hier, samen met de klassieke architectuur, een harmonieus geheel.

Het actuele fronton is van de hand van Dewez die, in 1772, het tympaan versierde met een allegorische voorstelling van de overvloed. Tussen het gelijkvloers en de eerste verdieping en onder elke ingewerkte pilaster, is een borstbeeld geplaats van een Brabants hertog. Hieraan dankt dit complex dan ook zijn naam.

DE WEEGSCHAAL, een opmerkelijke constructie, staat links van De Beurs. Het huis heeft een zeer mooie, klassiek geordende gevel met Vlaamse barokversiering, waarvan de oorsprong opklimt tot het begin van de 18de eeuw.

DE KONING VAN BEIEREN, typisch voorbeeld van het 17de-eeuwse burgerhuis, staat rechts van De Faam. De renaissanceprincipen werden er nog niet op toegepast.

The "MAISON DES DUCS DE BRABANT" (residence of the Dukes of Brabant), an imposing construction in the upper part of the square, consists of a group of seven houses under one single frontispiece.

We can discern, from the left to the right : "La Bourse" (the purse); "La Colline" (the hill), the seat of the four "crowned" professions – stone cutters, image-carvers, masons, and slate-workers –; "Le Pot d'Étain" (the pewter pot) the house of the carpenters; "Le Moulin à Vent" (the windmill), the centre of the millers since the bombing (it had been occupied successively, in earlier days, by the St-George guild, the St-Christopher association, and the glovers); "La Fortune" (fortune), the house of the tanners; "L'Ermitage" (the hermitage), the seat of wine dealers and vegetable gardeners which, after 1695, belonged to the tapestry weavers and drapers; "La Renommée" (Fame), a very narrow building topped by a gilded statue of Fame.

These houses were initially erected, around 1442, on the site of the Meynaert stone house (which, like the Serhuygh stone house facing it, insured the defence of the "castrum" on St-Gery island) as a single unit. After their destruction, in 1695, Guillaume De Bruyn made the layout of the new building in which, once again, several houses were grouped.

This piece of somewhat formal architecture, however, is rather majestic, and shows affinities with the Italian palazzo style. The main feature here, as in the Brewers'house, is the use of the colossal order. The classical development is enlivened by, and blended with all the decorations which are so typical of Flemish baroque art.

The present facade is by Dewez (1772) who decorated the tympanon with an allegory of Abundance.

Between the ground floor and the first floor there are busts of the Dukes of Brabant under each pilaster; hence the name of the house.

"LA BALANCE" (the scales), to the left of the Bourse, is a highly remarkable construction, with a superb façade in classical style and Flemish baroque decoration dating from the early 18th century.

"LE ROI DE BAVIERE" (the king of Bavaria), to the left of Fame, is a typical 17th century bourgeois residence, unaffected by Renaissance concepts.

Das sogenannte HAUS DER HERZÖGE VON BRABANT ist ein langgestrecktes Gebäude, welches die ganze obere Seite des Grossen Markts einnimmt. Eigenlich handelt es sich um eine Reihe von sieben Häusern hinter einer einzigen Giebelfront.

Von links nach rechts sind das : »Die Börse«, »Der Hügel« (Sitz der Gilde von den »Vier Gekrönten« der Steinmetzen, Bildhauer, Maurer und Dachdecker), »Die zinnerne Kanne« (Das Haus der Schreiner), »Die Windmühle« (früher das Haus der Schützengilde vom Hl. Georg und der Handschuhmacher, nach dem Beschuss der Sitz der Müller), »Das Glück« (Haus der Gerber), »Die Klause« (Haus der Wein- und Gemüsehändler, nach 1695, das der Teppich- und Tuchweber), »Der Ruhm« (ein sehr schmales Gebäude, gekrönt mit einer glänzenden, vergoldeten Figur, den Ruhm darstellend).

Diese Häuser, die nach 1441 gebaut wurden an der Stelle des Neynaertsteen (welches ebenso wie das gegenüber gelegene Serhuyghsteen als Beschirmung des Kastells von der Hl. Goriksinsel diente), waren eingegliedert in ein und demselben Bauwerk, welches 1695 vernichtet wurde. Die Pläne des neuen Gebäudekomplexes stammen von Willem de Bruyn. Obwohl die Architektur einigermassen kühl erscheint, ist es ein imposantes, stattliches Gebilde. So wie bei dem Brauershaus wurde auch hier die Kolossalordnung angewandt, wobei die klassische Anordnung durch eine ganze Reihe dekorativer Elemente des flämischen Barockstils aufgeheitert wird. Wieder einmal wurde dadurch und mit der klassischen Architektur ein harmonisierend Ganzes verwirklicht.

Das heutige Frontispiz ist eine Arbeit von Dewez, der 1722 das Tympanon mit einer allegorischen Darstellung des Überfluss verzierte. Zwischen Erdgeschoss und erstem Stock und unter jedem eingearbeiteten Pilaster befindet sich die Büste eines brabantischen Herzogs. Hiernach hat das Haus der Herzöge seinen Namen erhalten.

DIE WAAGE, ein bemerkenswerter Bau, steht links von der Börse. Das Haus hat eine sehr schöne klassische Fassade mit flämischen Barockverzierungen, die aus dem Beginn des 18. Jahrhunderts stammen.

DER KÖNIG VON BAYERN, ein typisches Beispiel des Bürgerhauses des 17. Jahrhunderts, steht rechts von dem Ruhm. Die Renaissanceprinzipien wurden hier noch nicht angewandt.

Nous terminerons ce court historique de notre forum, par quelques mots sur les maisons situés de part et d'autre de la Maison du Roi. De conception beaucoup plus simple, moins fastueuses, elles présentent cependant les mêmes caractéristiques que la plupart de celles que nous venons de voir.

A. De la rue de la Colline à la rue des Harengs :

LE CERF, den Hert (jadis Le Cerf-Volant), JOSEPH ET ANNE (maisons privées réunies en une seule façade). Ces trois demeures – qui furent construites sur l'emplacement de maisons expropriées par la ville, à la fin du XIVe siècle, en vue de l'agrandissement de la place – rappellent les constructions bourgeoises du XVIIe siècle et se rattachent, par la simplicité de leurs lignes, aux traditions locales, bien plus qu'aux exemples de l'art classique.

L'ANGE, den Engel (s'appelait, au XIVe siècle, L'Olivier), propriété de l'abbaye de Forest, dès le début du XVIe siècle; acquise, en 1591, par un particulier, elle fut détruite lors du bombardement et réédifiée après 1695.

LA MAISON DES TAILLEURS, Cleermaekershuys, édifiée sur l'ancien emplacement de deux maisons – La Taupe et La Chaloupe d'Or – acquises par les tailleurs, vers 1500, et reconstruites sous même façade, en 1698.

Nous retrouvons ici les mêmes éléments caractéristiques de l'art de Guillaume De Bruyn, qui en est l'architecte, et que nous avons déjà signalés dans les maisons des Brasseurs et des ducs de Brabant. A cette composition d'un italianisme extrême, s'adapte un pignon de tendance nettement baroque.

Au-dessus de la porte d'entrée, le buste de sainte Barbe, patronne des tailleurs. Au sommet du pignon, la statue de l'évêque saint Boniface au geste bénissant.

LE PIGEON, De Duif, maison des peintres, achetée par la ville, en 1388, pour être rebâtie suivant le nouvel alignement. Propriété des peintres, depuis 1510, elle fut complètement détruite, en 1695, et réédifiée, en 1697, par un particulier, Pierre Simon, qui en avait acheté le terrain à la corporation des peintres sans ressources à cette époque.

De style simple et sobre, cette demeure fut habitée, en 1852, par Victor Hugo.

Wij beëindigen dit korte, historische overzicht van de Grote Markt, met enkele woorden over de huizen die links en rechts van het Broodhuis staan. Veel eenvoudiger opgevat, minder rijk ook, bezitten ze nochtans dezelfde karakteristieken van de meeste huizen die wij reeds behandelden.

A. Van de Heuvel- tot de Haringstraat:

DE HERT (voorheen 'De Vliegende Hert'), JOZEF EN ANNE, privéhuizen die achter eenzelfde voorgevel schuilgaan. Deze drie woningen, bij het eind van de 14de eeuw gebouwd op de plaats van andere huizen, die door de stad werden onteigend, ter verbreding van de Grote Markt, herinneren aan de burgerhuizen van de 17de eeuw en staan, omwille van de eenvoud hunner lijnen, veel meer in verband met de plaatselijke traditie dan met voorbeelden van de klassieke stijl.

DE ENGEL (tijdens de 14de eeuw 'De Olijfboom'), was sedert het begin van de 16de eeuw het eigendom van de abdij van Vorst. In 1591 door een particulier aangeworven, werd het huis, tijdens het bombardement van 1695 verwoest en nadien heropgebouwd.

HET CLEERMAEKERSHUYS, is opgericht op de plaats waar voorheen De Mol en De Gulden Sloep stonden. Deze beide huizen werden door de gilde aangekocht omstreeks 1500 en, achter eenzelfde gevel, heropgebouwd in 1698.

Wij vinden hier dezelfde karakteristieke elementen die door Willem De Bruyn werden gebruikt voor het huis van de Brouwers en voor dat van de hertogen van Brabant. Deze extreem Italiaanse compositie wordt bekroond met een uitgesproken barokgeoriënteerde puntgevel. Boven de deur staat het borstbeeld van de heilige Barbara, de patrones van de kleermakers. Boven op de gevel, het beeld van de heilige bisschop Bonifacius, die zegenend de hand heft.

DE DUIF, was het huis der schilders. Het werd door de stad aangekocht in 1388 en, in de rooilijn van het nieuwe marktplein, terug opgetrokken.

Sedert 1510 het eigendom van de schildersgilde, werd het in 1695 volledig verwoest en heropgebouwd door de particulier Pieter Simon (1697). Hij kocht het huis van de schildersgilde, die op dat ogenblik over geen bestaansmiddelen meer beschikte.

We will round up the history of the square with a few words about the houses on either side of the "Maison du Roi". They are far more sober and less sumptuous, but they nevertheless present the same main features as those proper to most other ones on the square.

A. Between the rue de la Colline and the rue des Harengs :

"LE CERF", den Hert, (the stag) (formerly : "Le Cerf-Volant" – the flying kite –), "JOSEPH" and "ANNE" (private houses brought together under a single facade).

These three houses – built initially, at the end of the 14th century, on the site of houses expropriated by the city's administration, in view of the widening of the square – are reminiscent of 17th century local bourgeois architecture, rather than of classical art.

"L'ANGE", den Engel (the angel) (called "L'Olivier" – the olive trees) in the 14th century, belonged to Forest Abbey from the early 16th century onward. It was bought by a private citizen in 1591, destroyed by the bombing, and reconstructed after 1695.

"LA MAISON DES TAILLEURS", Cleermaekershuys (tailors'house) built on the site of two houses – La Taupe (the mole) and "La Chaloupe d'Or" (the golden launch) – acquired by the tailors around 1500, and reconstructed, under an identical facade, in 1698.

We discern here the characteristic features that are so typical for the style of their author, Guillaume De Bruyn, and already indicated in the description of his Brewers'House and House of the Dukes of Brabant. The highly italianate composition is topped by a marked baroque gable.

Over the entrance, the bust of St-Barbara, patron saint of the tailors. On top of the gable, the statue of St-Boniface, the bishop, in a blessing attitude.

"LE PIGEON", de Duif (the pigeon) was acquired by the city, in 1388, in order to be re-erected in a new alinement. It belonged to the painters from 1510 onwards. Completely destroyed in 1695, it was reconstructed in 1697 by Pierre Simon, a private citizen who had bought the site from the impecunious tailors'guild.

It is a simple, sober building, with elegant, rounded off semicircular arches over the windows.

Wir beenden diese kurze historische Übersicht desr Gossen Markts mit einigen Worten über die Häuser, die links und rechts vom Broodhuis stehen. Viel einfacher in der Architektur, auch nicht so reich geschmückt, haben sie doch dieselben Merkmale der meisten Häuser, die wir bereits besprochen haben.

A. Von der Rue de la Colline bis zur Rue des Harengs :

DER HIRSCH, früher »Der fliegende Hirsch«, JOSEPH und ANNA sind Privathäuser, die sich hinter ein und derselben Fassade befinden. Diese drei Wohnhäuser – gegen Ende des 14. Jahrhunderts auf der Stelle erbaut, wo andere Häuser enteignet wurden wegen der Vergrösserung des Grossen Markts – erinnern an die Bürgerhäuser des 17. Jahrhunderts und entsprechen, viel eher der örtlichen Bautradition als dem klassischem Stil.

DER ENGEL (Während des 14. Jahrhunderts »Der Olivenbaum«), war seit Beginn des 16. Jahrhunderts Eigentum der Abtei von Forest. 1591 erwarb eine Privatperson dieses Haus, das 1695 bei der Beschiessung verwüstet und später wieder hergestellt wurde.

DAS SCHNEIDERHAUS ist errichtet auf dem Platz, wo früher »Der Maulwurf« und »Die goldene Schaluppe« standen. Diese beiden Häuser wurden durch die Gilde ca. 1500 erworben und hinter einer Fassade 1698 wiedererrichtet. Hier finden wir dieselben typischen Elemente, die durch Willem de Bruyn für das Brauershaus und das Haus der Herzöge verwendet wurde.

Dieser italienischer Bau wird mit einem ausgesprochenen barocken Spitzgiebel gekrönt. Über der Tür befindet sich eine Büste der Hl. Barbara, Patronin der Schneider.

Auf dem Giebel steht die Skulptur des Hl. Bischof Bonifacius, der segnend die Hand hebt.

DIE TAUBE war das Haus der Maler. Es wurde 1388 durch die Stadt angekauft und in der Baufluchtlinie des neuen Marktes wieder errichtet.

Seit 1510 war es Eigentum der Malergilde, 1695 wurde es völlig vernichtet und durch eine Privatperson, Pieter Simon, 1697 wieder hergestellt. Die Malergilde verkaufte ihm das Haus, weil sie zu dieser Zeit mittellos war.

Les Armes de Brabant, jadis la chambrette de l'amman (Ammanskamerke), devint, au xviie siècle, « Le Marchand d'Or », petite et modeste construction en bois, détruite, comme les autres, en 1695. Elle fut rebâtie par le faïencier Corneille Mombaers qui en fit un magasin de détail pour les produits de sa manufacture. Simple et élégante, cette maison est d'une grande sobriété de décor.

B. De la rue au Beurre à la rue Chair et Pain :

Le Heaume, Le Paon, Le Petit Renard et Le Chêne (placées sous même toit), cette dernière fut le local des bonnetiers; Sainte Barbe qui fut appelée, par la suite, « La Ronce couronnée »; l'Ane.

Ces constructions, plus simples encore que les précédentes, tout en présentant les caractéristiques des trois ordres classiques, évoquent le souvenir des anciennes maisons bourgeoises des xvie et xviie siècles.

Ces quelques pages, évocatrices d'un passé lointain, nous auront fait connaître, depuis son origine, les vicissitudes, les tribulations aussi, dont fut le témoin et, parfois, la victime, notre chère Grand-Place.

Elles nous auront montré l'énergie et la volonté dont ont toujours été animés nos ancêtres – et davantage encore en leurs heures les plus tragiques – de même que leur bravoure et leur courage, gardant ainsi intactes ces qualités qui sont l'apanage de notre race.

Du point de vue technique, comme architecturale, cette trop courte description de notre « forum » nous aura rappelé aussi que – nonobstant l'absence de... « buildings »..., aux siècles passés – le grandiose et le pittoresque de toutes ces maisons, véritables chefs-d'œuvres, sont une manifestation éclatante de l'habileté déployée par nos artisans de jadis, qui ont su allier l'ingéniosité à la compétence dans les différents domaines de la construction.

Grâce à eux, grâce à toutes ces qualités que, non sans fierté, nous nous sommes permis de rappeler ici, grâce aussi à la compréhension et à l'intelligence éclairée de l'édilité communale d'alors, on peut proclamer, sans conteste, que la Grand-Place constitue, de nos jours, l'une des plus belles gloires architecturales de notre époque, orgueil de la Belgique, joyau de sa Capitale.

Het Wapen van Brabant (voorheen het Ammanskamerke), tijdens de 17de eeuw 'De Goudkoopman'. Het was een klein, eenvoudig houten gebouw dat, evenals de andere huizen, in 1695 werd vernield. Het werd heropgebouwd door de faïencekoopman Cornelis Mombaers, die er een detailhandel in onderbracht waarin hij de waren, afkomstig uit zijn werkplaats, te koop aanbood. Eenvoudig en elegant, is ook de versiering van het huis zeer sober gehouden.

B. Van de Boter- tot de Vlees-en-Broodstraat :

De Helm, De Pauw, Het Vosje en De Eik : zijn alle onder eenzelfde dak ondergebracht. Laatstgenoemd huis was de zetel van de manufacturiers. Verder : Sint-Barbara (later de 'Gekroonde Doorn' genoemd) en De Ezel.

Deze huizen zijn nog eenvoudiger dan de voorgaande. Ze bezitten de karakteristieken van de drie klassieke orden en herinneren aan de oude burgerhuizen uit de 16de en 17de eeuw.

Deze enkele pagina's, herinneringen aan een ver verleden, hebben ons geconfronteerd met de Grote Markt vanaf haar creatie, evenals met de wederwaardigheden en woelige dagen waarvan ze het toneel en, soms, ook het slachtoffer is geweest.

Zij tonen ook de energie en de wil van onze voorouders – bijzonderlijk tijdens de uren van zware beproevingen – hun moed en dapperheid, waarmee ze dit patrimonium voor ons hebben bewaard.

Van technisch en architecturaal stadpunt uit gezien, herinnert dit helaas te korte overzicht er ons aan, dat het grandiose en pittoreske van al deze huizen, die echte meesterwerken zijn, het schitterende bewijs leveren van de handigheid van onze vaklui die, op verschillende gebieden van de constructie, blijk hebben gegeven van vindingrijkheid en competentie.

Dank zij deze mensen, dank zij hun kwaliteiten die wij hier, niet zonder fierheid, hebben opgeroepen, dank zij ook het begrip en de verlichte geest van de gemeestebesturen van toen, kan, zonder gevaar voor tegenspraak, van de Grote Markt gezegd worden, dat ze heden een van de grootste architecturale wonderwerken is van onze tijd, de trots van België en de parel van onze hoofdstad.

"Les Armes de Brabant" (the Brabant arms), in early days the house where the haman had his closet (Ammanskamerke), became "Le Marchand d'Or" (the trader in gold), a small, modest wooden 17th century house. It was destroyed, like all the others, in 1695, and rebuilt by Corneille Mombaers, a crockery-maker who turned it into a retail shop for his wares. It is a simple, sober and elegant house.

B. From the rue au Buerre to the rue Chair et Pain :

"Le Heaume" (the helm), "Le Paon" (the peacock), "Le Petit Renard" (the small fox) and "Le Chene" (the oak) – all are under a single roof – the latter having been the seat of the hosiers; "Sainte Barbe" (St-Barbara) was later called "La Ronce couronnee" (the crowned bramble); "l'Ane" (the donkey).

All these buildings are even more plain than the former ones. They feature characteristics from the three classical orders, and recall bourgeois 16th century and 17th century dwellings.

The short survey of a remote past illustrates the ups and downs which the Grand-Place witnessed from its very beginnings onward.

Our ancestors, at all times, and particularly in periods of tragic setbacks, have shown determination, bravery, and valour in the preservation of our own heritage.

From a technical and architectural point of view this short description suggests that, in times gone by, our "forum" – despite the lack of "buildings" – by its very monumentality and beauty has been a superb credit to our craftsmen, who displayed both ingenuity and skill in the various techniques of construction.

We can be proud of them, of their work, and of the wisdom shown by the city's administration. We owe it to these men and to their respective talents and insights that the Grand-Place, today, is one of the most glorious architectural achievements in Belgium, and the very shrine of its capital city.

Das Wappen von Brabant (früher die Drostkammer), hiess im 17. Jahrhundert »Der Goldkaufmann). Es war ein kleines, hölzernes Gebäude, das, wie die anderen, 1695 vernichtet wurde; es wurde wieder aufgebaut durch den Fayencekaufmann Cornelis Mombaers, der einen Laden dort einrichtete, um die Waren seiner Werkstatt zu verkaufen. So einfach und geschmackvoll wie das Haus, sind auch die Verzierungen.

B. Von der Rue au Beurre bis zur Rue Chair et Pain :

Der Helm, Der Pfau, Das Füchslein und Die Eiche sind alle unter einem Dach untergebracht. Das letztgenannte Haus war der Sitz der Manufakturwarenhändler. Dann noch Sint Barbara (später der »Gekrönte Dorn« genannt) und Der Esel.

Diese Häuser sind noch schlichter als die zuvor genannten. Sie besitzen die Merkmale der drei klassischen Stile und ähneln den alten Bürgerhäusern des 16. und 17. Jahrhunderts.

Diese weinigen Seiten, die Erinnerungen an eine weit hinter uns liegende Vergangenheit wachrufen, haben uns das Entstehen des Grossen Markts kennen lernen lassen, als Schauplatz von Ereignissen in unruhigen Tagen, selbst als Opfer von Kriegszeiten.

Sie zeigen auch mit welcher Energie und Willenskraft unsere Vorfahren, – besonders in Zeiten der Not und der Heimsuchung – mit Mut und Tapferkeit dieses Erbe für uns bewahrt haben. Vom technischen und architektonischen Standpunkt aus gesehen, erinnert uns diese, leider zu kurze Übersicht auch an das Grossartige und Malerische all dieser Bauwerke, die echte Meisterwerke darstellen und somit Zeugnis von der Tüchtigkeit unserer Fachleute ablegen, die auf den verschiedenen Gebieten des Bauens Wahrzeichen von ihrer Erfindungsgabe und ihrem Einfallsreichtum schufen.

Diesen Menschen, ihren Eigenschaften, die wir hier nicht ohne Stolz erwähnt haben, und dem damaligen aufgeschlossenen und vorausschauenden Stadtvätern, verdanken wir, dass man ohne Zweifel von dem Grossen Markt sagen kann, er ist eines der grossen Wunder der Architektur unserer Zeit, der Stolz Belgiens und die Perle seiner Hauptstadt.

A. Vander Linden

INTRODUCCION

El 7 de diciembre de 1899, el burgomaestre de Bruselas, Charles Buls, restaurador de la Plaza Mayor, se expresó con elocuencia al inaugurar el monumento que reconoce la parte tomada por él en esta égida : « Flandes ha sido muy afortunada en tener a una pléyade de artistas que espresaron el ardiente amor por la libertad con el fauste pomposo que era lo idóneo de la población. Me ha constado que el deseo de las generaraciones actuales era de conservar esta antigua Plaza Mayor, salvada de las transformaciones de las prósperas ciudades modernas y donde nuestro admirable Ayuntamiento es el símbolo de nuestras libertades municipales, donde las demás construcciones evocan el recuerdo de nuestros antiguos gremios. Me ha constado que al reconstituir esta plaza, no hacía más que realizar el deseo de todos... Ha sido dado el impulso, y no es de temer que se detenga : la población ha comprendido el encantamiento que el arte da a une ciudad, todos comprendemos, con nuestra vieja sangre comunera, que la libertad ha de traducirse en las obras de arte de la ciudad ».

La Plaza Mayor tiene una razón municipal, una misión social. Si pensamos en la importancia de los habitantes de un municipio a la hora en que los reunían los azotes, los comicios, las decisiones a tomar : era en la plaza donde se forjaban las ideas de conjunto, donde se aunaban las energias. Pero hay ciudades en que la Plaza Mayor es casi inexistente : por ejemplo en Lovaina. De ahí que uno se pregunte si esta plaza debe ser grande, y si tiene una razón para serlo. Por cierto, el ejemplo de Moscú o de Roma incita a ser mencionado. Pero podrían mencionarse cantidad de ciudades europeas que no sufren de gigantismo y que son pequeñas, al tamaño del hombre. Y si miramos a la Plaza Mayor sin nadie en ella, sin coches circulando o estacionando, sin vendedores de pájaros o de flores, se ve que es de confortables dimensiones y armoniosas medidas.

La Plaza Mayor ofrece una vista extraordinaria. Uno llega a preguntarse si las fachadas abrigan recuerdos, espectros o seres vivos. Ciertos restaurantes, ciertas tiendas, ciertos cafes no ofrecen ninguna dificultad en que se les represente así. Son la imagen de un contacto con la calle, con la vida. Pero otras casas ocultan su pertenencia al público y parecen no formar parte de la vida. Sin embargo, sus fachadas adornadas y doradas, mostrándose de lleno inclusive a los ojos más ciegos, exponen a todos los detalles de su riqueza.

En verdad, puede explicarse el porqué la Plaza Mayor de Bruselas no conociera, durante largo tiempo, el hechizo que se desprende de cuanto vemos hoy en día : no fue sino a partir del siglo XIX que los viajeros que pasaban por la Plaza Mayor empezaron a visitarla devotamente y en dar parte de sus impresiones.

Antes, no podían darse cuenta de que se hallaban en una plaza, pues las fachadas no estaban todas alineadas, la Casa del Rey tenía una importante parte saliente, los chamarileros, hortelanos y hortelanas, así como los vendedores de pájaros y de flores llenaban todos los espacios de esta vasta explanada, cuyos detalles y minucias escapaban a la vista que se topaba con el espectáculo que le ofrecía el empedrado. Se explica el porqué los tarareos de una verbena lograran mejor detener a los viajeros en vez de admirar una perspectiva arquitectónica o un armonioso conjunto de fachadas.

Es preciso confesar no obstante que el bombardeo de la Plaza Mayor por el mariscal de Villeroy, en 1695, no permite hallar testimonios numerosos y admirados sobre este testigo destruido.

Los hombres del siglo XVIII demostraban poco interés por este lugar : Derival, autor del *Viajero en los Países Bajos Austríacos*, no titubea en decir que la Plaza Real es la más bella. Aprecia la Plaza San Miguel (actualmente Plaza de los Mártires) y demuestra poco entusiasmo por la que llaman Plaza Mayor o Mercado Grande. A su parecer, el interior del Ayuntamiento « no es muy notable » y sigue declarando que la fachada sólo la estiman « aquellos que tienen todavía algún respeto por la arquitectura gótica ». Pero las casas de la Plaza Mayor están descritas en términos que revelan indiferencia.

De paso por Bruselas con su familia, en 1763, Leopold Mozart debe permanecer tres semanas en Bruselas. Pero si, en una carta, habla de los monumentos, es ante todo para aludir a la kermesse que utiliza el Ayuntamiento para almacenar en el sus mercancías y así resguardarlas de las intemperies. Ni una palabra sobre la belleza del edificio del que solamente dice que es « singularmente vasto ».

No será sino a partir del siglo XIX cuando veremos a viajeros detenerse ante el espectáculo arquitectónico de la Plaza Mayor. Espectáculo éste que produce honda impresión en Gérard de Nerval que explica : « Sólo quiero recordar este prodigioso espectáculo a aquellos que lo han admirado. Es por un lindo día soleado o en una de esas claras noches escarchadas, que tan bien se acomodan con la fisonomía de estos países, cuando hay que cruzar la plaza de Bruselas. El Ayuntamiento, inmenso y magnífico, rematado por la torre de San Miguel, cincelada, bordada, ahuecada como una flecha de catedral, alzando a trescientos pies la imagen dorada del santo patrón; la Casa del Pan, situada en frente, parecida a un sombrío palacio de Venecia o de Florencia; veinte casas de maravillosa arquitectura, completan el cuadro alargado de la plaza, esculpidas, pintadas o doradas; la residencia en que se hacen las ventas, que es un vasto palacio de estilo Luis XIV; la Casa de los Cerveceros, que presenta una fachada de mármol negro con realce de oro; la Casa de los Marineros, cuyos pisos superiores figuran una popa de nave cargada de estatuas y de atributos raros; y más casas, corcovadas, panzudas, festoneadas de rocallas a la manera flamenca antigua : tales son los elementos de este conjunto único.

« Borgoña, España y Austria, alternativamente, han dejado ahí huellas del paso de su dominación, con cifras, blasones,estatuas, lemas; solo los puntiagudos tejados, adornados, recortándose atrevidamente sobre el cielo recuerdan la arquitectura de un país frio y brumoso ».

Baudelaire admira « este prodigioso decorado» de la plaza, a la que califica con los términos de « coqueta y solemne ». Pero si, más cerca de nosotros, con su arte de las fórmulas acertadas, Jean Cocteau puede cantar a « Bruselas, cuya plaza es un rico teatro », se le puede preferir a otro poeta que fue historiador de arte, Paul Fierens, quien en una fórmula adecuada supo condensar los aportes de tres siglos que se conjugan y armonizan : « Una plaza medieval vestida de barroco ».

Esta fórmula, en resumidas cuentas, es la que respeta todos los datos de la historia. Es la que recuerda que el Ayuntamiento fue comenzado en 1402 por Jacques van Thienen y que fue terminado en 1454 por Jan van Ruysbroeck. La plaza tenía edificios cuya mayor parte era de madera, pero que fueron reemplazados sucesivamente por construcciones de piedra. Pensemos, entre otros, en la Casa del Rey, antiguo Mercado del Pan, que sirvió de cárcel de Estado en el Siglo XVI, y en donde estuvieron encarcelados los condes de Egmont y de Hornes antes de ser decapitados en la Plaza Mayor, el 5 de junio de 1568.

La gran calamidad que sufrió la Plaza Mayor ocurrió durante el reinado de Luis XIV : los días 13 y 14 de agosto de 1695, las tropas encabezadas por el mariscal de Villeroy, procedieron al bombardeo desde las alturas de Scheut. De la Plaza Mayor, casi solo el Ayuntamiento se mantuvo en pie. Después del bombardeo, se procedió a la reconstrucción de los edificios destruidos. Encargaron la dirección de las obras a Guillaume De Bruyn, arquitecto de la ciudad desde 1685, y que llegó a ser no sólo el capataz de la « Casa de los duques » y del « Arbol de oro », sino también inspector y vigilante de obras atribuidas a sus cofrades.

Conviene decir sin duda que estos hombres eran menos arquitectos que decoradores : Antoine Pastorana era carpintero y ebanista, Pierre Herbosch era pintor, mientras que la escultura era el oficio de Jean Van Delen, Corneille Van Nerven y Jean Cosyn.

Esto explica el que el ornamento predomine siempre, opulento, lujuriante, desbordante. Los puristas (según nota Paul Fierens) han criticado las fachadas, que son obras de decoradores antes de ser piezas de arquitectura.

Pero qué importa si esta riqueza del detalle les llevó la ventaja a los puristas, si las reconstrucciones tuvieron en cuenta elementos barrocos y una generosa prodigalidad ornamental, aun cuando se observen pesadeces y recargos. Lo que cuenta, en definitiva, es el logro de una opulencia cuya superabundancia es delirante, cuyos excesos se desvanecen pese a su amontonamiento. Tales son los ilogismos de esta evolución, cuya misma vida depende puesto que en ella se metamorfosea, se multiplica y se inscribe. Y los siglos XIX y XX han creido poder aportarle un orden, un interés histórico y arqueológico. Sin duda haya prevalecido la buena voluntad sobre la propia autenticidad, habiendo manejado datos que eran más pedantería que emoción.

Así y todo, tal como es, la Plaza Mayor es una vibrante maraña de piedras esculpidas, contorneadas, animadas, decoradas, doradas, que dan un aire de fiesta a cuanto las rodea, que son orfebrería refinada y música danzarina. Es gracias a esta embriaguez de las piedras labradas que no olvidamos que este conjunto es heteróclito, puesto que se extiende desde el siglo XV hasta ayer.

Pero esta arquitectura escalonándose a través de tantos años circunda una plaza que sigue siendo el centro de Bruselas y que vibra de gentío radiante y entusiástico. Esta misma muchedumbre es la que hace estallar su alegría por una liberación o una victoria. Ella también es la que, con sus corros, vibra de júbilo en medio del decorado único que ofrece la Historia.

La Historia se inscribe en cada una de las casas de la Plaza Mayor, y todas evocan un pasado y una actividad a veces agitados. Consideremos, por ejemplo, a la Casa de los Cerceceros que, en 1841, abrigó a la *Alianza liberal*, cuyas ideas políticas impregnaron los concejales municipales bruselenses. Consideremos también a la Casa del Cisne, que se convirtiera en sede de los obreros alemanes – el *Deutsche Arbeiterverein* – y en donde Karl Marx y Friedrich Engels sostuvieron una fe revolucionaria. Es en esta casa también, que abrigó en 1876 la Cámara de Trabajo, donde se forjó en 1885 el Partido Obrero belga. En cuanto a la Casa del Rey, abrigó la Sociedad de la Lealtad, que organizaba conciertos y bailes, antes de dejarle el sitio al Círculo Artístico y Literario, que fuera el centro de conferencias y exposiciones antes de emigrar al lado del Teatro del Parque.

Cuando pensamos en la Plaza Mayor, la vemos como un conjunto cuyos detalles se esfuman, cuyas casas forman un todo. Por cierto, hay el Ayuntamiento y, dándole el frente, la Casa del Rey. Pero cada casa tiene su nombre : el Zorro, los Tres Colores, el Pavo Real, el Roble, el Jarro de Estaño, el Molino de Viento, la Ermita, la Fortuna, el Zorrillo, la Rosa, la Bolsa, la Colina, la Balanza, la Loba, el Arbol de Oro, el Rey de España, la Corneta, el Cisne, la Paloma, la Carretilla, el Saco, el Burro, Santa Bárbara... Todas del año 1883 a 1919, han experimentado modificaciones que habían de devolverles su aspecto de antaño, el de 1729 a 1749, tal y como lo demuestran las acuarelas de F.I. Derons.

Repetidas veces la Plaza Mayor se hizo sala de espectáculo. Imaginemos la ornamentación de ceremonial de la que fue objeto con motivo de las principescas entradas triunfales, principalmente en 1594, para el archiduque Ernest, gobernador general de los Países Bajos, y su esposa Jeanne, hija de Carlos Quinto. Pero los pintores han conservado muchas otras escenas de esta clase : procesiones, desfiles de juramentos, «Ommegancks», paseos de los gigantes, del Caballo Bayard... En cuanto a las visitas que se cierran con broche de oro en el balcón del Ayuntamiento ante una muchedumbre entusiástica, son innumerables en la época contemporánea : personalidades reales o imperiales, jefes de Estado, hombres marcados por la gloria fugaz de una hazaña deportiva u otra y cuyo recuerdo conserva el libro de oro de la ciudad. La Plaza Mayor ha presenciado glorias cuyo renombre ha sonado en la alegría de un momento, de un arranque o de una victoria. Pero también ha estado presente para acoger, y al tiempo recoger la gloria humana, en el codo con codo de la emoción o del entusiasmo. Receptáculo de todos los impulsos humanos, ella es un gigantesco y precioso incensario, remembranza de un ayer cuyas grandezas se hallan preservadas, para el mañana, en un marco de tal magnitud y esplendor.

Andrée Brunard

LA PLAZA MAYOR - JOYA DE LA CAPITAL

A fines del siglo XI y sobre todo durante el siglo XII, las condiciones de la economía general, en la Europa occidental, ejercieron una influencia preponderante en el desarrollo de la humilde aldea que acababa de nacer alrededor del castillo de la isla Saint Géry...

Bruselas, etapa de la famosa carretera mercante que enlaza Brujas con Colonia, se convertirá en importante centro económico. A lo largo de esta arteria vital, a proximidad del « castrum » de la isla Saint Géry, es donde habrá de formarse el primer mercado... origen de la Plaza Mayor cuya historia se confunde, en cierto modo, con la de la propia ciudad.

Es también en torno a este mercado primitivo o « nedermerckt », ubicado en parte sobre el antiguo emplazamiento de un vasto pantano que se extendía desde el Ayuntamiento hasta el « Marché aux Herbes », donde se erigieron las primeras viviendas.

El mercado inicial distaba mucho de tener el aspecto actual. Al igual que todas las plazas de la Edad Media, se formó espontáneamente, sin plano preconcebido, a medida de las necesidades sucesivas, de las exigencias comerciales.

Las construcciones están dispuestas irregularmente : unas se salen de la línea, estorbando a veces la vía pública; otras están situadas fuera de línea, en el fondo de un patio o rodeadas de un jardin. Todas están separadas por un camino, para disminuir los riesgos de incendio, siendo las casas hechas de madera; sin embargo algunas son de piedra (las « steenen ») y pertenecen a las familias patricias.

A partir del siglo XIII, al afianzarse la fuerza económica de nuestra ciudad, el Magistrado vela por la unificación y regularización de la Plaza Mayor. Tras varios siglos de modificaciones, alcanza, en el siglo XVII, su forma simétrica actual.

El siglo XV verá el apogeo de la fuerza política y, también, económica de la capital; éste será un período de gran prosperidad. Esta situación privilegiada incitará la administración municipal a embellecer la plaza. En 1400, se decide la construcción de un Ayuntamiento y éste será el más grande y más suntuoso de los edificios de nuestras ciudades medievales.

El emplazamiento fue seleccionado delante del famoso Mercado de los Paños, del siglo XIV, testigo de la importante industria textil bruselense y que fuera uno de los factores preponderantes de la prosperidad de la ciudad.

Desafortunadamente, el trabajo encarnizado, la energía, la ingeniosidad también, de todos cuantos habían colaborado a esta obra de edificación de la Plaza Mayor y de su Ayuntamiento en particular, habían de conocer posteriormente días desastrosos, lamentables.

Efectivamente, a fines del siglo XVII, en 1695, nuestro foro fue la triste víctima del terrible bombardeo por el mariscal de Villeroy, efectuado por orden de Luis XIV. La torre del Ayuntamiento, punto de referencia ideal, fue escogida para permitir a las baterías alcanzar, a tiro hecho, el centro de Bruselas y, más especialmente, la Plaza Mayor.

Los estragos fueron importantísimos, la mayor parte de las casas destrozadas. La Casa del Rey y el Ayuntamiento sufrieron mucho también. De éste último, sólo se salvaron los muros gruesos y la torre. Todos los archivos quedaron irremediablemente perdidos – consecuencia sumamente grave para la historia de nuestra ciudad de la que no subsiste, o poco falta, ningún documento que pueda informarnos acerca de los acontecimientos ocurridos antes de este drama.

Consecuencia lamentable también, desde el punto de vista artístico, por la pérdida, la destrucción de su decoracíon interior y, principalmente, de las célebres pinturas de Roger Van der Weyden que adornaban las paredes de la gran sala llamada, hoy día, sala gótica.

Pero, este desastre parece haber reanimado aún más, de ser posible, el ardor y el coraje de todos. Y, siguiendo el carácter propio a nuestra raza, sólo se necesitaron dos o tres años para que resucite la Plaza Mayor, adornada enteramente de oro y esculturas, de belleza incomparable, admirada de todos.

Esta « metamórfosis », que fue una verdadera hazaña, pudo lograrse merced al valor y energía del Magistrado, de las corporaciones, de algunos particulares también y bajo la dirección general de Guillaume De Bruyn, arquitecto de la ciudad.

Sin embargo, más tarde, en el siglo XIX, la mayoría de los edificios se hallaban en un estado de deterioro provocado por el tiempo y sobre todo por la obra destructora de los descamisados de la Revolución francesa. Fue tomada la decisión de proceder a una restauración completa que fue llevada a cabo bajo la preclara administración del burgomaestre Charles Buls, gran amigo de las artes. Esta labor se inspiró en elementos antiguos, entre otros en los dibujos originales de Derons, conservados en el Museo municipal y que reproducían fielmente las construcciones del siglo XVIII.

Y así es cómo se nos hace posible contemplar, todaviá hoy día, esta admirable obra maestra que es orgullo de la Nación.

La Plaza Mayor, corazón vibrante de la ciudad, es única, tanto por los edificios que la enmarcan como por los recuerdos, trágicos o alegres, que evoca. Testigo seguro de nuestra historia, fue, en todo tiempo, descrita por poetas y pintores.

Punto de reuniones públicas, de asambleas políticas y en el que nombraban a los concejales, la Plaza Mayor tenía también el privilegio de haber sido escogida como lugar de recepción de Reyes y Príncipes; ella vio igualmente las ceremonias inaugurales de varios Soberanos.

Asimismo fue escenario de motines y revoluciones : motín de 1306, movimiento revolucionario de 1421, manifestaciones de la revolución brabanzona, campo de acción de los descamisados, revolución de 1830. Lugar de ajusticiamiento igualmente, fue testigo entre otros de la ejecución, el 5 de junio de 1568, por orden del duque de Alba, de los condes de Egmont y de Hornes, víctimas de la tiranía española y, el 19 de septiembre de 1719, de François Anneessens, defensor de las libertades municipales.

La Plaza Mayor fue el punto de reunión de vendedores y campesinos que traían al mercado al aire libre los productos de su industria o las cosechas de sus tierras.

Marco único, por fin, para los regocijos populares, las procesiones, los torneos, los « ommegangs », las representaciones teatrales.

Si, en su conjunto, la Plaza Mayor provoca la admiración de la gente, cautiva a los conocedores, los estetas, por los detalles a la vez rebuscados y lujosos de la decoración de sus casas.

Centro artístico de primer orden y que reúne, en armoniosa unidad, los elementos característicos de los distintos estilos de los siglos XV, XVI, XVII, y XVIII, la Plaza Mayor se compone esencialmente del Ayuntamiento, de la Casa del Rey y de las casas de las corporaciones.

Examinaremos sucesivamente y sucintamente el historial de estas diferentes construcciones.

EL AYUNTAMIENTO

Monumento cuya sobria ordenanza condiciona y coordina el conjunto de la plaza, empezó a construirse, como ya lo vimos, a comienzos del siglo XV.

Vasto y severo edificio gótico, centro administrativo de la ciudad, bastión de nuestras libertades, en el cual se ha concentrado la historia del municipio, este edificio es uno de los más bellos de la arquitectura civil del siglo. Es también uno de los más antiguos en que haya sido aplicado el estilo flamígero.

De sorprendente armonía, no obstante los distintos períodos de construcción, es interesante por su arquitectura, pero lo es aún más por las esculturas que lo adornan, características de nuestro arte brabanzón del siglo XV.

El ala izquierda del Ayuntamiento, cuya primera piedra fue puesta en 1402, se terminaba, a la derecha, por una torre denominada atalaya. Pero sucede que esta atalaya existía ya, si nos atenemos a documentos municipales del año 1405. También parece que el arquitecto, de cuanto exis-

tía como plano inicial, hubiese sido Jacques Van Thienen.

La referida ala fue edificada en la parte de terreno ocupada, antes, por construcciones provisionales erigidas por la ciudad en las inmediaciones o cercanías de dos « steenen » expropiadas y llamadas respectivamente « De Meerte » y « Den Wilden Ever ». La primera casa estaba situada en el sitio donde puede verse, en nuestros días, la torrecilla que encierra el reloj. Estas antiguas construcciones las ocuparon los servicios de la ciudad hasta el momento en que la edificación de este lado les iba a proporcionar locales más amplios e infinitamente más convenientes.

Pero esto no fue suficiente. Había que contar, efectivamente, con la extensión del comercio y de la industria, así como con la multiplicidad de los servicios administrativos que, lógicamente, habían de derivar de una situacíon de nueva prosperidad.

Y así fue cómo unos treinta años más tarde, deseando hacer las cosas más grandes y más bellas también, el Magistrado decidió la expropiación de cierto número de casas situadas acá y allá del cuadrilátero ocupado hoy día por el Ayuntamiento. Esta expropiación se llevó a cabo de 1436 a 1444, y es sobre estos terrenos conseguidos de este modo que se construyó el ala derecha del Ayuntamiento, cuya primera piedra la puso, el 4 de marzo de 1444, el conde de Charolais, quien contaba en aquel entonces tan sólo once años de edad y que, más tarde, habría de ser el último duque de Borgoña, bajo el nombre de Carlos el Temerario. Con motivo de esta ceremonia, tuvo lugar, en la plaza suntuosamente decorada, un torneo que ha quedado célebre.

No ha podido establecerse quién fue el arquitecto de esta ala derecha cuyos trabajos principales fueron terminados hacia 1450-51. Sabemos, sin embargo, que fue el gran arquitecto Jean Van Ruysbroeck quien ejecutó, sobre el pórtico de la antigua atalaya, la nueva y majestuosa torre, comenzada en 1449 y en cuyo pináculo, al darle el último toque en 1455, fuera colocada la graciosa estatua de « San Miguel derribando al demonio », obra del vaciador de cobre Martin Van Rode.

Detrás del edificio gótico estaba el Mercado de los Paños (1353) que quedó destruido cuando el bombardeo de Villeroy. No fue reconstruido y, sobre su emplazamiento, Corneille Van Nerven edificó, en estilo de la época de Luis XIV, una serie de fastuosos salones que habían de abrigar, hasta fines del antiguo régimen, los Estados de Brabante.

El Ayuntamiento, cuadrilátero flanqueado en sus esquinas, de torrecillas voladizas, se compone de un piso bajo con arcadas, de dos pisos superiores y de un alto tejado con cuatro hileras de claraboyas y cercado de una baranda almenada, reminiscencia de las construcciones fortificadas de la Edad Media.

El aspecto actual, tanto interior como exterior de nuestro Ayuntamiento, data de la restauración empezada en 1841 y proseguida hasta comienzos del siglo XX.

Si la arquitectura del Ayuntamiento refleja, a través de sus líneas armoniosas, la fuerza y riqueza de la ciudad, la escultura ornamental que la adorna nos revela, por sus características, tres períodos importantes en la evolución de nuestro arte bruselense.

Toda la decoración actual es moderna : las figuras de los duques y duquesas de Brabante, pegadas unas a otras en un friso continuo entre los dos pisos de la escalera de los Leones y que están historiadas con escenas evocando el asesinato, en 1388, de Everard 't Serclaes, por el Señor de Gaesbeek, y la leyenda de Herkenbald, magistrado de Bruselas; el frontón del pórtico de entrada en cuya imposta puede verse : en el centro, San Miguel, patrón de los esgrimidores y de Bruselas; a la derecha, San Jorge, patrón de los ballesteros; a la izquierda, San Cristobal, patrón de los arcabuceros; en los ángulos, San Sebastián, patrón de los arqueros y San Gery, obispo.

Misma decoración moderna : las estatuas de los profetas del pórtico de entrada y los capiteles del ala derecha. Dedicaremos unos instantes a estas figuras cuyos originales se conservan en el Museo municipal (Casa del Rey), por cuanto se nos facilitará suministrar algunos detalles acerca de las mismas.

Las estatuillas de los profetas, datadas de 1380 – las más antiguas y sin duda las más importantes esculturas que adornaban el arco del pórtico de la antigua atalaya – denotan el estilo recio de la segunda mitad del siglo XIV : formas ampliamente tratadas, recubiertas de vestiduras de pliegues ondeados y suaves cayendo en cascadas de volutas, de rostros calmosos, ensimismados en hondos pensamientos, insensibles a las cosas exteriores.

Estas obras, valiosísimas, son atribuidas a Claus Sluter, célebre artista de fines del siglo XIV, oriundo de Holanda. Después de una estadía en Bruselas donde tuvo un taller, entre 1370 y 1380, marchó para Dijon donde estuvo en 1385 y donde llegó a ser escultor titular de Felipe el Atrevido.

Sluter es también autor del magnífico poso de Moises, en la Cartuja de Champmol, y cuyos profetas de Bruselas recuerdan las características por sus actitudes y arreglo de sus vestimentas.

El arte de la escuela bruselense de la segunda mitad del siglo XIV, de la que los profetas son trípicamente representativos, el estilo amplio y realista, de excepcional fuerza de expresión, se irá transformado durante la primera mitad del siglo XV. Y, pasando por un período de transición marcada por las esculturas del ala izquierda, alcanzará su madurez, en las del ala derecha, diferente en su carácter aunque siempre realista : las composicones se animan, se dramatizan en formas pintorescas, populares, más comprensivas e inclusive satíricas; el arreglo de las vestimentas con sus pliegues quebrados, angulosos y profundamente labrados, difieren de los del siglo XIV.

Los tres capiteles que reciben el arranque de las arcadas del ala derecha, que data de 1450 más o menos, se inspiran, para la elaboración de su composición, en la denominación de antiguas casas que antaño se alzaban en el sitio donde está esta ala y que fueron derribadas para permitir su construcción (ya hemos aludido a ello) : el « Papenkeldere », el « Moor » y el « Scupstoel » son ejemplos destacados de esta escuela bruselense original, llena de brío, de realismo y fuerza.

Si el exterior del Ayuntamiento provoca nuestra admiración, el interior de este majestuoso edificio constituye un verdadero museo. Las distintas salas de reunión así como los gabinetes de Concejales están adornados de preciosas obras de arte, entre las cuales : un encantador retrato de la Señorita de Noailles atribuido a Hubert Drouais, célebre pintor francés del siglo XVIII, en el gabinete del Burgomaestre, un delicado retrato del Marqués de Marigny atribuido igualmente a un pintor francés del siglo XVIII J.B. Nattier, así como un enigmático retrato satírico del pintor holandés Goltzius y representando probablemente a Diana de Poitiers son conservados en el gabinete del Concejal de Obras Públicas; un lindo paisaje de las cercanías de Bruselas que se supone pintado por Juan Brueghel llamado el Aterciopelado, es la joya del gabinete del Concejal del Estado Civil, encantador salón situado en los bajos de la torre y decorado según el espiritu del siglo XVIII.

Pero lo que constituye ante todo la riqueza artística de nuestro Ayuntamiento, así como nuestro orgullo, es la incomparable colección de tapicerías bruselenses de los siglos XVI, XVII y XVIII.

Las más bellas, como también las más representativas del arte de la tapicería, son indudablemente la historia de Betsabé en el suntuoso gabinete del Concejal de la Instrucción Pública y Bellas Artes, el Credo en el gabinete del Concejal de los Bienes Municipales y la escena de cacería en los jardines del Palacio de Coudenberg, en el gabinete del Concejal de Obras Públicas.

En fin, en la magnífica sala del Consejo, tres tapicerías del siglo XVIII de los célebres talleres Leyniers y Reydams : Investidura de Felipe el Bueno, en 1430, como duque de Brabante; abdicación de Carlos Quinto, en 1555; investidura, como duque de Brabante, en 1717, del emperador Carlos VI. Los cartones de este armonioso conjunto de colgaduras son la obra del pintor bruselense Victor Janssens.

LA CASA DEL REY

Elegante construcción, ricamente decorada, es una excelente reconstitución de como había sido en el siglo XVI.

En el sitio del actual edificio se alzaba ya, en el siglo XIII, un Mercado de los Panes (Broodhuis) cuya disposición primitiva desconocemos. Es de suponer que sólo tenía una función económica, y, en la sencillez de esta construcción de madera, los panaderos instalaban sus tenderetes. Más tarde, hacia fines del mismo siglo, el mercado primitivo fue reemplazado por una construcción más moderna y conservó su destinación primera, con la única diferencia sin embargo que ya no se permitía la instalación de estos tenderetes; y, a partir de entonces, los panaderos vendieron el pan en su casa propia. Unicamente panaderos extranjeros quedaron autorizados a traer al mercado sus panes destinados a la ciudad.

Pero, esta situación no duró y emperazon a instalarse, en este nuevo edificio, cosas enteramente distintas... : la Colecturia de derechos de Tablajería, el Tribunal Forestal, así como las oficinas del recaudador general del dominio de Brabante.

Así fue como el Mercado de los Panes, destinado a otros usos a partir del siglo XV tomó la denomina-

ción de « Casa del Duque ». Más tarde aún, a comienzos del siglo XVI, fue tomada la decisión de reemplazar esta construcción por un nuevo edificio, más grande, más bello.

Fue en 1515, después de haber procedido a la demolición del edificio, cuando empezaron los trabajos de la nueva construcción, obedeciendo órdenes de Carlos Quinto; desde entonces, la « Casa del Duque » se convirtió en « Casa del Rey ».

La Casa del Rey, imponente cuadrilátero aislado, compuesto de una planta baja, de dos pisos superiores y de un alto tejado, fue construida según los planos del arquitecto malinés Antoine Keldermans hijo, apodado « el joven »; desgraciadamente, éste falleció al iniciarse la construcción. Algunos maestros brabanzones, dirigidos por el gran arquitecto Louis Van Bodeghem, prosiguieron la empresa y de este modo colaboraron en la edificación de lo llegaría a ser la Casa del Rey; aquellos fueron los arquitectos Dominique De Wagemaker, Henri Van Pede y Rombaud Keldermans, hermano del anterior.

Al parecer no fue sino hacia el año 1536 que quedó acabada la Casa del Rey. Este edificio era un monumento de lo más gracioso, característica del estilo gótico terciario. Este estilo, si bien es cierto que no aporta grandes cambios en cuanto a construcción, anuncia no obstante el estilo renacentista, a través de algunos elementos arquitectónicos nuevos: arcos apainelados, supresión de capiteles en las columnitas empotradas, bóvedas de enrejados, profusión de motivos esculturales de ejecución fina y delicada, de armonioso efecto, que transforman este elegante monumento en verdadero relicario precioso.

Hermoseado durante el reinado de los archiduques Alberto e Isabel, ésta última hizo colocar, en la fachada del edificio, una estatua de la Virgen, con una doble inscripción : « A peste fame et belle libero nos Maria Pacis » y « Hic votum pacis publicae Elysabet consecravit» (cronogramma que da 1625).

Grandemente deteriorada, en 1695, por el bombardeo del mariscal de Villeroy, la Casa del Rey fue restaurada por Jean Cosyn, arquitecto de la época. Pero, una nueva restauración, en 1767, desfiguró completamente el edificio.

Bajo el régimen francés, la Casa del Rey tomó el nombre de « Casa del Pueblo » y declarada bien nacional. La efigie de la Virgen, las inscripciones y los ornamentos fueron destruidos por los revolucionarios. Las salas fueron ocupadas, los pisos altos por el Consejo de guerra, el Tribunal criminal y una escuela para niños pobres; en la planta baja, un cuerpo de guardia.

Transferida a la ciudad, fue vendida, el 13 de abril de 1811, y se convirtió en propiedad del marqués de Arconati Visconti quien la volvió a vender, en 1817, a Simon Pick cuya hija, esposa del pintor Louis Gallait, la cedió nuevamente a la ciudad en 1860.

No obstante haber pasado por diversas restauraciones, la Casa del Rey se encontraba en un estado de vetustez muy avanzado y la ciudad decidió demolerla para reconstruirla... una vez más.

Fue a Victor Jamaer, arquitecto de la ciudad, a quien le tocó encargarse de esta reedificación. Comenzada en 1873, estuvo techada en 1885 y ocupada (planta baja y primer piso) por los servicios financieros de la ciudad. Pero, no fue sino en 1895 que esta nueva construcción quedó oficialmente inaugurada. De 1885 a 1895, se le dio el último toque con adornos, decoraciones y esculturas múltiples que hicieron de ella una « Casa del Rey » digna de los más hermosos monumentos arquitecturales del País.

El arquitecto precitado reconstituyó la « Casa » de la época de Carlos Quinto, inspirándose en el grabado atribuido en falso a Jacques Callot, como también en el Ayuntamiento de Audenarde edificando por Henri Van Pede. Completó la obra del siglo XVI colocando galerías pegadas de la fachada y edificando la torre, trabajos éstos previsto ya cuando la construcción de 1515, pero aún no ejecutados hasta entonces.

Una serie de elegantes estatuillas, debidas al talento de los escultores Desenfans, Dillens, Dubois, de Tombay y De Groot, enriquecen la nueva construcción. Encima de las claraboyas, heraldos de armas cuyas esbeltas y finas siluetas se yerguen orgullosamente en el cielo.

Los remates de tejado de las calles de los Arenques y Carne y Pan, están adornados respectivamente de estatuillas personificando a togados – en memoria de los Tribunales que, al origen, tenían su sede en el edificio – y los juramentos o gremios militares de Bruselas : los juramentos de la Grande y Pequeña Ballesta, de los arcabuceros y de los esgrimidores; estas sociedades se reunían en la Casa del Rey.

Esta, construída durante el reinado de Carlos Quinto, período de esplendor para nuestra ciudad, había de ser, transcurriendo los siglos, escenario de acontecimientos importantes. Ya hemos pasado lista de las diversas ocupaciones de que fuera objeto. También fue en este edificio, en una habitación del segundo piso, donde pasó su última noche el conde de Egmont. Es sabido que fue sobre un cadalso, levantado frente a la entrada de la casa, que fue decapitado, al otre día, junto con su compañero de infortunio, el conde de Hornes.

Hoy día, la Casa del Rey encierra las colecciones de la ciudad; a las nuevas generaciones, cuentan la historia cautivante, tanto política como artística, de nuestra hermosa ciudad. Efectivamente, en la Casa del Rey estuvo instalado, en el segundo piso, el Museo municipal inaugurado el 2 de junio de 1887, después de un donativo y un legado hechos por un mecenas de origen inglés, John Waterloo Wilson.

En 1927, después de que los servicios administrativos a los que aludimos anteriormente hubiesen desocupado la Casa del Rey, ésta quedó destinada por entero al Museo y, después de reorganizado, éste volvió a abrirse el 4 de junio de 1935.

Museo de historia y arqueología locales cuyas colecciones cuentan a las nuevas generaciones la historia cautivante tanto política como artística y artesanal de nuestra ciudad; posee numerosas piezas de arte de incomparable valor, una documentación histórica de primer orden. Los dos retablos bruselenses de fines del siglo XV y comienzos del XVI, el Cortejo de Bodas de Pedro Bruegel el Viejo, las estatuas de profetas procedentes del Ayuntamiento, la importante colección de cerámicas y porcelanas bruselenses, sus orfebrerías, estaños, tapicerías y encajes de Bruselas hacen su riqueza y renombre, mientras que su iconografía constituye su interés científico.

Por la importancia y calidad de sus colecciones el Museo municipal es un centro de arte y enseñanza que hace revivir ante los visitantes el pasado glorioso de nuestra ciudad.

CASAS DE LA PLAZA MAYOR

Las fachadas de las casas que rodean el Ayuntamiento y la Casa del Rey presentan las características del estilo barroco italiano. El temperamento exuberante y muy personal de nuestros artistas brabanzones, su propensión al decorado fastuoso, sin dejar por ello de respetar la disciplina clásica del primer Renacimiento, la adorna profusamente haciendo de ella un estilo propio a nuestro país.

En todas estas casas de las agrupaciones corporativas del siglo XVIII, observamos los mismos elementos : superposición de los tres órdenes, dórico, jónico y corintio; aplicación de la pilastra o columna empotrada única (llamado orden colosal); profusión de ornamentos varios, tales como vasijas, hachones, estatuas, medallas, filacterias, flores, frutas, trofeos, etc...; empleo casi constante del gablete o remate triangular en el tejado, evolución de gablete de rediente o de gradas de las casas flamencas de los siglos XV y XVI; empleo, en ciertas casa, de franjas horizontales y verticales, reminiscencia de la construcción con armazón de las casas medievales; aplicación, en algunas, de elementos propios al estilo Luis XIV.

A todos estos elementos, conviene agregar uno, no menos importante : el empleo, con profusión, del dorado que da, a estas moradas democráticas, un aspecto de riqueza relacionado con la situación próspera de estas corporaciones y de la misma ciudad en esa época.

Para compenetrarse bien de las ideas que animan la obra arquitectónica de todas estas construcciones, es preciso recordar la formación profesional de aquellos que, a fines del siglo XVII, estuvieron encargados de reconstruir lo que había destruido el bombardeo de Villeroy. En aquella época, en efecto, la arquitectura era practicada por escultores, carpinteros, ebanistas, pintores, albañiles, canteros, cuyo talento de arquitecto era las más de las veces condicionado, influenciado por su verdadera profesión.

Examinemos, brevemente, cada una de estas casas que, todas, han conservado su denominación o rótulo « parlante » de antaño, gracioso sistema de identificación que dejaba, a la imaginación del artista, la facultad de crear motivos pintorescos.

De toda la plaza, el grupo de casas de la parte inferior (lado derecho frente al Ayuntamiento) merece nuestra mayor atención. Estas viviendas cuentan entre las más bellas, las más originales : « El Rey de España », « La Carretilla », « El Saco », « La Loba », « La Corneta » y « El Zorro ». Construidas ya en el siglo XIV – exceptuando la llamada « Rey de España » – sobre el solar de la antigua propiedad de los Serhuyghs, cuyo « steen » existía todavía, en 1695, en la esquina formada por la calle « au Beurre » y la Plaza Mayor.

EL REY DE ESPANA, o casa de los panaderos, ocupa el lugar de este steen al que acabamos de aludir.

Construida, de 1696 a 1697, según los planos atribuidos a Jean Cosyn, a quien debemos la decoración de la fachada, de estilo más sencillo, más clásico que sus vecinas próximas.

Encima de la puerta de entrada, un busto del obispo Saint Aubert, patrón de los panaderos; en el centro del segundo piso, un imponente trofeo teniendo, en el medio, el busto de Carlos II, rey de España, busto que se destaca sobre un fondo de banderas turcas. Alrededor, cureñas de cañones y, más abajo, sobre las rampas del frontón, dos figuras de moros encadenados; igualmente una inscripción : « den Coninck van Spangien ». Sobre la barandilla que rodea el tejado, seis estatuas personificando el Agua, el Viento, el Fuego, la Agricultura, la Previsión y la Fuerza.

La Carretilla o « Het Vettewariershuys » o también « Cruywagen », fue la casa de los mantequeros. Estos, confederados en corporación a partir de 1365, compraron, en 1439, una casa a la que llamaban « La Carretilla » y cuya fachada era todavía de madera. En 1644, reconstruyeron el edificio con piedra; destruida, en parte, por el bombardeo de 1695, la casa fue restaurada de 1696 a 1697.

Es Jean Cosyn quien fue encargado de esta restauración; mantuvo tal como era toda la parte inferior que no había sido quemada y concibió probablemente el gablete, de arquitectura netamente diferente de lo demás.

En el remate, puede verse, en un nicho, la estatua de Saint Gilles, patrón de los mantequeros.

El Saco, construida, como la anterior, sobre la propiedad de los Serhuygs, se convirtió en el siglo XV, en local de la corporación de los ebanistas, toneleros y carpinteros; éstos se habían constituido ya en corporación, en 1365.

Al igual que « La Carretilla », esta asociación hizo edificar, en 1644, un nuevo edificio en el mismo lugar existente. Desgraciadamente, como sucediera para muchas de sus vecinas, la nueva construcción sufrió deterioros durante el bombardeo de 1695; fue restaurada, sin demora, por Antoine Pastorana quien, manteniendo la ordenanza inicial, sólo tuvo que reconstruir la parte superior.

La parte inferior, de concepción clásica, de decoración sobria, contrasta con la parte superior recargada de ornamentos. Pastorana, quien era ebanista de profesión, hizo uso, en la decoración de la fachada del edificio, de los principios aplicados en la construcción decorativa de los bargueños.

A este respecto, el gablete, que evoca los remates flamencos de redientes, se ve profusamente decorado, con hachones, vasijas, conchas, guirnaldas de flores y frutas, muy preciados por nuestros artistas bruselenses.

La fecha de restauración, 1697, figura en el gablete y, encima de éste, un globo rematado de un compás.

La Loba, otra casa de nuestro foro, es mencionada ya, en el siglo XIV, bajo el vocablo « de Wolf ». Al igual que la mayoría de los edificios de la época, está hecha de madera. El juramento de los arqueros la adquirió, en el siglo XVII; fue demolida en 1641 y reemplazada por una construcción de piedra.

Destruida por un incendio en 1690, fue reconstruida según los planos del pintor Pierre Herbosch, pero no debía subsistir mucho tiempo; en efecto, cinco años más tarde, quedó muy deteriorada por el bombardeo de Villeroy. Fue restaurada según el plano inicial.

La fachada de « La Loba » – que reviste más unidad que la del « Saco » y de « La Carretilla » – se asemeja a la casa de los panaderos (Rey de España), por su ordenanza clásica y la sobriedad de su decoración. Debajo del balcón, un bajorrelieve, obra del escultor Marc De Vos, una loba amamantando a Rómulo y Remo; en el segundo piso, cuatro estatuas simbolizando la Verdad, la Falsedad, la Paz y la Discordia; y, en la cúspide, un Fénix renaciendo de sus cenizas, con la inscripción : « Combusta insignior resurrexi expensis Sebastiance Guldoe », que da el milésimo 1691, cronograma que recuerda la época de la restauración del edificio.

La Corneta, casa de los bateleros, que originariamente se llamaba « den Berg », existía en el siglo XIII. Hecha de madera, parece que fue hacia el año 1435 cuando los bateleros la adquirieron y la bautizaron « La Corneta ».

Reconstruida de piedra, en el siglo XVII, sufrió la suerte de las otras casas, cuando el bombardeo de 1695; fue reedificada, en 1627, por Pastorana.

Esta construcción, una de las más originales de la plaza, es de concepción puramente barroca. Si la ordenanza clásica se manifiesta todavía parcialmente en la repartición de las zonas horizontales y verticales, ya no se observa en ella ningún plano recto; nada más que curvas y... contracurvas, elementos que dan a esta fachada, a pesar de su estrechez, una impresión de indiscutible grandeza. Rematada por un frontón de lo más curioso, figurando la forma de una popa de navío del siglo XVII; en el centro de este gablete y en medallón, el busto de Carlos II, rey de España. Entre la planta baja y el entresuelo, en el centro, un bajorrelieve representando una corneta.

El Zorro o « de Vos », del siglo XIV, era igualmente de madera. Adquirida por los merceros organizados en corporación, durante la primera mitad del siglo XV, fue reemplazada por una casa de piedra, hacia mediados del siglo XVII.

Destruída por el bombardeo de 1695, fue restablecida en 1699. Construcción original, de ordenanza clásica, decoración abundante y fantasista de estilo barroco flamenco, en que se mezclan ya algunos nuevos elementos de decoración sacados del estilo Luis XIV introducidos entre nosotros después del bombardeo.

Los planos de esta residencia se atribuyen a Corneille Van Nerven, el arquitecto del ala posterior del Ayuntamiento. Encima de la planta baja, cuatro bajorrelieves, de Marc De Vos, representando a unos amorcillos dedicándose a ciertas actividades propias a la profesión de mercero.

En el primer piso, cinco estatuas simbolizando respectivamente : la Justicia (que indica el comportamiento escrupuloso a adoptar por el comerciante con respecto a los demás); Africa, Europa, Asia y América (partes del mundo conocidas en la época y de donde procedían los productos vendidos por los merceros).

En el segundo piso vemos cariátides que decoran los entrepaños de las ventanas. En cuanto al gablete, la mayor parte de sus elementos pertenece al estilo nuevo; en el remate, la estatua de San Nicolás, patrón de los merceros.

Veamos ahora, en resumen, los edificios que constituyen la parte superior de nuestro foro (lado izquierdo, frente al Ayuntamiento), desde la calle Charles Buls hasta la calle « des Chapeliers » : La Estrella, El Cisne, El Arbol de Oro, La Rosa y El Monte Thabor.

Al igual que las que acabamos de analizar, estas casas son muy interesantes, tanto por su historia y carácter como por su belleza.

La Estrella o « de Sterre », es la más pequeña y quizás también más antigua casa de la plaza; se menciona ya en el siglo XIII.

Es en esta residencia donde, en el siglo XIV, solía estar el magistrado de la ciudad y es desde la ventana superior del edificio que asistía a las ejecuciones capitales que tenían lugar en la Plaza Mayor.

En 1356, Louis de Male hizo ondear victoriosamente su estandarte en esta ventana. En esta misma casa también es donde, en 1388, fue transportado, mutilado y moribundo, Everard 't Serclaes al que aludimos anteriormente.

Casa de madera, cogió fuego cuando la destrucción de 1695 y fue reconstruida de piedra. Hacia mediados del siglo XIX, la derrumbaron con el fin de ensanchar, de este lado, el acceso a la Plaza Mayor, decisión muy desacertada, pero enmendada gracias a la intervención de Charles Buls. Efectivamente, la casa quedó reconstruida a fines del siglo precitado.

De estilo muy simple, sin ornamentación, el gablete, de volutas en falso, termina en un frontón triangular rematado de una estrella.

Han sido colocadas dos placas conmemorativas debajo de las arcadas : una, inaugurada en 1899, en honor al burgomaestre Charles Buls, es obra de Victor Rousseau; la otra, debida al talento de Julien Dillens, recuerda la memoria de Everard 't Serclaes, ilustre concejal de la ciudad.

El Cisne, « de Zwane », construcción de madera, estaba situada en medio de un jardín; fue reedificada, en 1523, alineándose con las otras casas.

Al igual que sus consortes, quedó destruida en 1695. Un particular, Pierre Fariseau, la hizo reconstruir de piedra, en 1698, y más tarde, en 1720, se convirtió en casa de la corporación de los carniceros.

Enteramente distinta de las otras casas, la superposición de los órdedenes, la profusión de ornamentación, ceden el puesto a una ordenanza simple, con poca decoración, inspirándose en el estilo Luis XIV.

Encima de la puerta de entrada, un magnífico cisne; sobre el tejado, se destacan tres estatuas representando la Abundancia, la Agricultura y la Carnicería.

El Arbol de Oro que se llamaba, en el siglo XIII, « de Hilde » (la Colina), perteneció primero, en el siglo XVI, a los curtidores, después a los tapiceros. Reconstruída de piedra, en el siglo XVI, sufrió la suerte de las

otras casas, en 1695, y fue reedificada a instancia de los cerveceros, según los planos de Guillaume De Bruyn. Este ha aplicado aquí, por primera vez, el estilo colosal para el cual sentía una manifiesta preferencia y que volveremos a observar en otras casas de la plaza, de las que es autor, de aspecto suntuoso, de clásica ordenanza, abundante decoración, de inspiración muy flamenca.

El frontón está coronado de un enorme pedestal sobre el cual había antes una estatua ecuestre del Elector Maximiliano Emmanuel de Baviera, obra de Marc De Vos; esta estatua fue reemplazada, en 1752, por la de Carlos de Lorena, pero desapareció con la invasión de los Franceses. La actual estatua ecuestre fue ejecutada, en 1854, por Jaquet.

En cuanto a los bajorrelieves, obra de Pierre Van Dievoet, representan las Vendimias, el Transporte de la Cerveza y la Cosecha del Lúpulo.

La Rosa y El Monte Thabor (actualmente « Los tres colores »), ambas casas de ordenanza clásica, bien proporcionadas, en que volvemos a encontrar los ya citados elementos característicos del estilo flamenco del siglo xvii.

Una y otra representan el tipo de vivienda burguesa de esa época.

La Casa llamada De Los Duques de Brabante, vasto edificio de la parte alta de la plaza, se compone, en realidad, de un grupo de siete casas reunidas bajo un mismo frontispicio.

Podemos observar, desde la izquierda hacia la derecha : La Bolsa; La Colina, sede de la corporación de los Cuatro Coronados que agrupaba a los canteros, los imagineros, los albañiles y los pizarreros; El Jarro de Estaño, casa de los carpinteros; El Molino de Viento, casa de los molineros, desde el bombardeo (anteriormente había estado ocupado por el juramento de San Jorge, la Nación de San Cristobal, y los guanteros); La Fortuna, casa de los curtidores; La Ermita, casa de los negociantes en vino, de los hortelanos y, después de 1695, se convertía en casa de los tapiceros y de los pañeros; La Fama, muy estrecha y rematada por la figura alegórica de la Fama, centelleante de oro.

Estas casas, construidas, hacia el año 1441, en el antiguo sitio del Meynaertsteen – que, como el Serhuyghsteen que le daba el frente, servía de defensa al castrum de la isla Saint Gery – ya estaban agrupadas en una sola y misma construcción que fue destruída en 1695. Guillame De Bruyn trazó los planos del nuevo edificio que, igual que el anterior, reunía las distintas casas. Construcción un tanto fría, aunque imponente, llena de majestuosidad, emparentada con los palacios italianos. El arquitecto, demostrando originalidad, aquí como en la casa de los cerveceros, ha hecho uso del orden colosal; la ordenanza clásica se adorna de toda la escala de elementos decorativos representativos del estilo barroco flamenco que, una vez más, forma, con la arquitectura clásica, una armoniosa unidad.

El frontón actual es obra de Dewez quien, en 1772, decoró el tímpano con una alegoría representando la Abundancia.

Entre la planta baja y el primer piso, al pie de cada pilastra, un busto de los duques de Brabante, de donde el apelativo de la casa.

La Balanza, a la izquierda de la Bolsa, construcción notabilísima por su magnífica fachada, de ordenanza clásica, decorada en barroco flamenco, y cuyo origen se remonta a comienzos del siglo xviii.

El Rey de Baviera, a la derecha de La Fama, típica casa burguésa del siglo xvii, pero en que aún no están aplicados los principios del Renacimiento.

Cerraremos este breve historial de nuestro foro, con algunas palabras acerca de las casas situadas de una y otra parte de la Casa del Rey. De concepción mucho más sencilla, menos fastuosas, presentan sin embargo las mismas características que la mayoría de las que acabamos de ver.

A. Desde la calle de la Colina hasta la calle de los Arenques :

El Ciervo, den Hert (antes El Ciervo Volador), Jose y Ana (casas privadas reunidas en una sola fachada).

Estas tres casas – que fueron construídas sobre el sitio de casas expropiadas por la ciudad, a fines del siglo xiv, en vista de la ampliación de la plaza – recuerdan las construcciones burguesas del siglo xvii y se aproximan, por la sencillez de sus líneas, a las tradiciones locales, mucho más que a los ejemplos del arte clásico.

El Angel, den Engel (en el siglo xiv se llamaba El Olivo), propiedad de la abadía de Forest, desde comienzos del siglo xvi; adquirida, en 1591, por un particular, fue destruida por el bombardeo y reedificada después de 1695.

La Casa de los Sastres, Cleermaekershuys, edificada en el sitio de dos casas – El Topo y La Chalupa de Oro – adquiridas por los sastres, hacia el año 1500, y reconstruidas bajo una misma fachada, en 1698.

Volvemos a encontrar aquí los mismos elementos característicos del arte de Guillaume De Bruyn, arquitecto también de ésta, y que hemos señalado ya en las casas de los Cerveceros y de los duques de Brabante. A esta composición de un italianismo extremo, se adapta un remate de tejado de tendencia netamente barroca.

Encima de la puerta de entrada, el busto de Santa Bárbara, patrona de los sastres. En el remate del tejado, la estatua del obispo San Bonifacio haciendo un gesto de bendición.

La Paloma, de Duif, casa de los pintores, comprada por la ciudad, en 1388, para ser reconstruida siguiendo la nueva alineación. Propiedad de los pintores, desde 1510, quedó completamente destruida en 1695, y reedificada, en 1697, por un particular, Pierre Simon, quien había comprado el terreno a la corporación de los pintores sin recursos en esta época.

En esta casa de estilo sencillo y sobrio, con ventanas cuya parte superior redondeada de medio punto le confieren una elegante originalidad, vivió Victor Hugo en 1852.

Las Armas de Brabante, otrora habitación del magistrado (Ammanskamerke), se llamaba en el siglo xvii « El Mercader de Oro », pequeña y modesta construcción de madera que fue destruida, como las demás, en 1695. Fue reedificada por el ceramista Corneille Mombaers quien la convirtió en despacho de venta al por menor de los productos de su manufactura. Simple y elegante, esta casa es de gran sobriedad en el decorado.

B. Desde la calle « au Beurre » hasta la calle « Chair et Pain » :

El Yelmo, El Pavo Real, El Zorillo y El Roble (reunidas bajo un mismo techo), ésta última fue el local de los boneteros; Santa Barbara a la que llamaron, más adelante, « La Zarza coronada »; El Burro.

Estas construcciones, más sencillas aún que las anteriores, presentando sin embargo las características de los tres órdenes clásicos, evocan el recuerdo de las antiguas casas burguesas de los siglos xvi y xvii.

Estas páginas, evocadoras de un pasado lejano, nos habrán dado a conocer, desde su origen, las vicisitudes, y también las tribulaciones, de que fuera testigo y, a veces víctima, nuestra querida Plaza Mayor.

Habrán evidenciado la energía y la voluntad que siempre han animado a nuestros antepasados – y todavía más en sus horas trágicas – lo mismo que su valentía y coraje, conservando intactas estas cualidades que son atributo de nuestra raza.

Tanto desde el punto de vista técnico como arquitectónico, esta muy breve descripción de nuestro « foro » nos habrá recordado también que – no obstante la ausencia de... « buildings »... en los siglos pasados – lo grandioso y lo pintoresco de todas estas casas, verdaderas obras maestras, son una manifestación evidente de la destreza desplegada por nuestros artesanos de antaño, que han sabido unir la ingeniosidad con la competencia en los distintos campos de la construcción.

Gracias a ellos, gracias a todas estas cualidades que, con legítimo orgullo, nos hemos permitido recordar aquí, también a la comprensión e inteligencia preclara de la edilidad municipal de aquella época, podemos proclamar, sin duda alguna, que la Plaza Mayor constituye, hoy en día, una de las mayores glorias arquitectónicas de nuestra época, orgullo de Bélgica, joya de su Capital.

Table des matières - Inhoud - Contents - Inhalt - Indice

Cet ouvrage a été réalisé par les
Ateliers d'Art graphique Meddens à Bruxelles
au cours de l'année 1974.

Les photos en couleurs et en blanc et noir
sont de F. van den Bremt, Bruxelles.

Les clichés ont été fournis par la Photogravure
De Schutter à Anvers.

Deze uitgave werd verwezenlijkt door de
Grafische Kunstinrichting Meddens te Brussel.

De kleuren- en zwart-witfoto's zijn van
F. van den Bremt, Brussel.

De clichés werden geleverd door de
Photogravure De Schutter te Antwerpen.